DE VOLTA AO JOGO

DE VOLTA AO JOGO

REZENDEEVIL

Copyright © 2016 by Pedro Afonso

Publicado mediante acordo com IN#UENCERS

Este livro é um produto não oficial de Minecraft ®/TM & © 2009-2013 Mojang/Notch

Grafia atualizada segundo o Acordo Ortográfico da Língua Portuguesa de 1990, que entrou em vigor no Brasil em 2009.

CAPA E PROJETO GRÁFICO
Tamires Cordeiro

ILUSTRAÇÃO DE CAPA
Marcus Penna

FOTO DE CAPA
Marlos Bakker

PREPARAÇÃO
Tatiana Contreiras
Pedro Giglio

COPIDESQUE
Gustavo Feix

REVISÃO
Luciana Baraldi
Adriana Moreira Pedro

Os personagens e as situações desta obra são reais apenas no universo da ficção; não se referem a pessoas e fatos concretos, e não emitem opinião sobre eles.

Dados Internacionais de Catalogação na Publicação (CIP)
(Câmara Brasileira do Livro, SP, Brasil)

    De volta ao jogo: Uma aventura não oficial de Minecraft / RezendeEvil. – 1ª ed. – Rio de Janeiro: Suma de Letras, 2016.

    ISBN 978-85-5651-006-8

    1. Ficção – Literatura infantojuvenil I. Título.

16-01790   CDD-028.5

Índices para catálogo sistemático:
1. Ficção : Literatura infantojuvenil   028.5
2. Ficção : Literatura juvenil   028.5

2ª reimpressão

[2016]
Todos os direitos desta edição reservados à
EDITORA SCHWARCZ S.A.
Praça Floriano, 19 — Sala 3001
20031-050 — Rio de Janeiro — RJ
Telefone: (21) 3993-7510
www.objetiva.com.br

CAPÍTULO 1

— Pedro! Acorda! Não ouviu o despertador? Peeedro!
Despertador? Pedro...? Quem é Pedro...? Eita, é verdade. Pedro sou eu! Já estou tão acostumado a ser chamado de RezendeEvil por causa do meu canal na internet que até esqueço que esse é o meu nome. Mas porque o volume desse sonho está tão alto? Pera, não é sonho. É minha mãe mesmo...

Não faz muito tempo, mas eu vivi uma aventura que, se eu contar, ninguém acredita. Nem minha família pode saber, senão vão achar que eu pirei de vez! Fui para um evento de games aqui em Londrina, onde eu moro, e lá conheci o Gulov, que é um velho mago que mais parece uma mistura de Gandalf e Dumbledore. Por causa dele, fui parar no universo do jogo, onde vivi na pele o que eu só via na tela do computador. Enfrentei aranhas, construí mil coisas e encontrei o Rezende virtual, que é minha versão naquele mundo. Juntos, nós descobrimos que fazemos parte de uma profecia, que fala sobre um Herói Duplo. E, como Herói Duplo, derrotamos um dragão sinistro que estava ameaçando o vilarejo do Rezende. Só que, desde que voltei de lá, minha noção de tempo ficou meio... zoada.

— Pedro, se você não levantar agora, nós vamos perder o voo!

Levanto da cama num pulo. Minha mãe falou as palavras mágicas (só que não). O voo! Gente, olha só, vou confessar uma coisa: se tem um negócio que eu curto pra caramba é avião... paradinho, no pátio do aeroporto, só para eu ficar olhando. Ou pode até ser ele lá em cima e eu aqui embaixo. Agora, voar, sentadão naquela poltroninha apertada, com aquelas chacoalhadas que de vez em quando fazem o estômago subir para a boca... Cara, é sinistro. Como ainda não inventaram o teletransporte? E não adianta ninguém me dizer que morrem mais pessoas por causa de ataque de tubarão que em acidentes de avião. Como é que um monte de lata tremendo no céu pode ser seguro? Não tem como, amigo!

— Pedro! É a última vez que eu vou chamar!

Percebo que estava pensando nisso tudo ainda sentado na cama.

— Mas mãe, o voo não é às três? — grito para ela ouvir da sala, mas minha voz arrastada entrega que estou mais dormindo que acordado.

— Quem disse que é às três? É às treze, Pedro!

Às treze? Eu tinha entendido que era às três! Olho minha cara no espelho: tô mais amassado que casaco no fundo da mochila depois de um dia de aula. Nisso que dá ficar gravando vídeos a madrugada inteira... Olho o relógio: são onze e meia da manhã! Tenho meia hora para tomar banho, me arrumar, correr para o aeroporto e... ARGH, voar. Por mais que eu odeie viajar de avião, vou ter que encarar mais um voo hoje. Por causa do meu canal na internet, fui chamado para um bate-papo com alunos de uma escola em Recife. Game também é cultura, tá vendo? Não posso deixar a molecada na mão. Fora que é sempre legal sair de Londrina e conhecer gente nova em outros cantos do país, né?

— Pedro, você tem dez minutos para estar pronto! Seu pai vai levar a gente até o aeroporto. Tô cronometrando! E seu tempo começa... agora! — avisa minha mãe, parecendo até uma apresentadora desses programas doidos de tv.

Saio correndo feito louco, passo condicionador em vez de xampu durante o banho, e claro que o sabonete fica pulando da minha mão. Em vez de passar gel no cabelo, acabo usando espuma de barbear, sem perceber. Caramba, tá dando tudo errado! E é óbvio que só reparo que estou com um pé de meia de cada cor quando entro no carro com meus pais. Nem volto para trocar, senão minha mãe me mata!

— Pedro, vai dar tudo certo. Quando o avião decolar, você já sabe: fecha os olhos...

— E pensa no jogo, num gramado verdinho e quadrado, com um rio correndo quadrado... — respondo logo. É uma técnica mundialmente conhecida, gente, eu juro!

— Isso mesmo! Vai te acalmar — recomenda meu pai, que desta vez não vai poder ir junto.

No aeroporto, enquanto tiro fotos com uma galera que segue meu canal, minha mãe faz o check-in e despacha nossa bagagem. Logo depois, já estamos caminhando para o avião. Nunca deixei de viajar para lugar algum por causa deste, digamos, pequeno temor. Tudo bem, vai... deste medo gigantesco, absoluto, imenso, estrondoso! Mas quando entro na tal da aeronave começo a observar tudo. Principalmente os comissários de bordo. Qualquer sinal pode ser um alerta. Quando demonstram como usar a máscara de oxigênio e ficam dando muita ênfase no assunto... Bem, isso já me preocupa. E quando falam que o assento flutua em caso de pouso forçado na água?

Entre a decolagem e a aterrissagem normalmente chego ao meu recorde de trinta e cinco Pai-Nossos e vinte e cinco Ave-Marias. Rezo tão rápido que meu cérebro nem consegue acompanhar as palavras e misturo todas as frases! Feliz é o Rezende virtual, que não precisa passar por nada disso. E o Gulov, que vai aonde quer só usando magia. Esse aí, sim, sabe viver!

Pensar nos meus amigos do jogo e nas aventuras que vivemos há pouco tempo acaba me distraindo um tanto. Mas já se passaram dez minutos desde a decolagem e o sinalzinho do cinto de segurança ainda não apagou. Vinte minutos. Pego alguma coisa para ler. Leio o folheto de instruções de segurança uma vez. Duas. Oito. A verdade é que nunca saio da primeira linha quando estou nervoso e, mesmo lendo e relendo o folheto, não entendo nada! Minha mãe percebe que eu estou um pouco... digamos... tenso, e pega minha mão.

— Meu filho, que mão suada! Fica tranquilo. Pelo menos hoje não está chovendo, né? — diz ela, tentando me acalmar.

Sim, ainda tem essa. Toda vez que preciso andar de avião, acho que são Pedro aponta para minha cara e diz: "Ah, vou rir um pouco desse garoto hoje!" Mano, sempre cai um pé-d'água quando eu chego em um aeroporto! Se você quer que chova na sua cidade, já sabe: é só me chamar para uma visita. Quem mora perto do aeroporto pode ir preparando um bote salva-vidas pra sair de casa!

— Verdade, mãe! Pelo menos isso, né? — respondo, tentando me acalmar também.

Eu sei. Errei feio, errei rude. Se tem uma coisa que os games me ensinaram é: nunca cante vitória antes da hora. Às vezes você está lá com um coraçãozinho inteiro de energia e o outro cara só tem meio coração, mas ele vai e te dá um golpe ninja. E pronto! Você perde sem nem ver de onde veio o socão especial na sua fuça. Então o que acontece neste momento? É claro, começa a chover!

— Ai, meu Jesus Cristinho. Mãe, tá chovendo! Esse negócio vai começar a balançar! — Minha mão começa a suar ainda mais.

— Calma, Pedro! É só uma chuvinha. Não tá relampejando nem na...

Não dá nem tempo de ela terminar a frase. Um trovãozão sinistro faz aquele estouro, e um relâmpago corta o céu. E o monte de lata já está tremendo e sacolejando.

Olho para fora tentando enxergar uma pontinha de céu azul naquele mundaréu de nuvem cinza. Cara! Uma luz muito forte quase me cega. Acho que minha mãe não viu. Não era um relâmpago. Era uma luz forte... Como se o sol estivesse caindo na Terra. Como se o réveillon de Copacabana estivesse acontecendo bem na minha frente. Peraí, da última vez que isso aconteceu...

Viro para o lado e cutuco minha mãe:

— Você viu isso? Olha ali, mãe! — digo, desesperado, apontando para a luz que quase me cegou há um segundo.

Ela olha pela janelinha do avião e...

— Viu, eu não disse que era uma chuvinha? O céu já tá clareando!

Não é possível. Será que é coisa da minha cabeça? Será que a altitude me deixou malucão? Eu tenho certeza de que vi aquela luz do lado de fora do avião! Mas quando olho de novo, vejo que minha mãe tem razão:

a chuva parou e as nuvens estão sumindo. Será que aquela luz era um recado do Gulov ou do Rezende virtual? Será que não dava para esperar a gente aterrissar? Se o Gulov, também conhecido como Gandalf Toscão da Grifinória, me fez passar por esse susto todo, ele vai se ver comigo, ah, se vai! Isso não se faz, mexer com quem tá quieto — e tem pavor de voar!

Fecho os olhos e acho que dou uma cochilada de leve. Na minha cabeça surgem imagens de um lugar que não conheço. Escadarias, corredores... Volto à realidade com os comissários levantando das poltronas e começando a oferecer o serviço de bordo. Peço um achocolatado e fico mais calmo, mas totalmente encafifado.

Minha mãe, tranquilona, passa o resto do voo conversando comigo, para me distrair. Verdade seja dita: depois de muito sacolejo, da chuva, dos raios e trovões, a viagem até que agora está calminha. Tento ler o folheto de segurança mais cinco vezes e consigo chegar na terceira linha! Dá para ver que estou mesmo mais calmo!

Finalmente chegamos a Recife. É um domingão de sol na cidade. Aqui se come muito bolo de rolo, e ouvi dizer que é uma delícia — é um doce feito com goiabada, para quem não sabe. Não vejo a hora de provar! Como o evento na escola é na segunda-feira, só precisamos ir para o hotel, deixar as malas e dar uma volta na cidade. Pelas redes sociais, combinei um encontrinho com a turma daqui que acompanha o canal. Tá tudo no esquema. Agora só vou pensar no próximo voo na segunda-feira à noite!

O hotel fica bem perto da praia, e a recepção é bastante iluminada. Sabe quando você faz aquela experiência com um espelho no sol e fica vendo como reflete na parede? É tipo assim a entrada. Estamos no balcão assinando aquele monte de papel quando um cara me chama pelo nome:

— Pedro Afonso Rezende Posso?

Caraca, só quem me chama assim é minha mãe, e quando tá bem brava comigo!

— Sou eu. Tudo bem, cara? — respondo, ainda meio assustado em ouvir meu nome completo.

— Em nome do hotel, gostaríamos de dar a você um upgrade de quarto. Estou vendo aqui... A reserva de vocês era um quarto duplo... Mas a suíte presidencial, com um quarto anexo, está disponível — diz o sujeito, enquanto minha mãe e eu trocamos um olhar. O homem se vira para o outro moço do balcão.

— Você pode fazer o upgrade e conduzi-los para o novo quarto, por favor?

Dou uma olhada bem dada no maluco. Ele não está usando o uniforme dos funcionários do hotel. É baixinho, está de terno e óculos escuros. Acabo me lembrando daquele filme com o Will Smith, em que ele corre atrás de uns ETS muito loucos, sabe? Passa na televisão o tempo todo. Fico pensando em como seria se o baixinho da recepção caçasse aliens no filme e deixo escapar uma risada.

— Algum problema, sr. Rezende? — pergunta o figura, enquanto minha mãe me fuzila com o olhar. Pô, gente, desculpa! Foi só uma risada!

— Não, cara, tudo beleza. Valeu mesmo pela mudança de quarto. Você sempre usa óculos escuros aqui dentro? — Vixe, escapou!

O nanico, bem sério, me responde:

— Sim, eu tenho fotofobia. Procure o que é na internet.

Sabe quando você quer cavar um buraco no chão e se esconder de vergonha? Que mancada! Esse cara agora vai mandar todo mundo cuspir na nossa comida!

Pegamos o elevador, minha mãe e eu, e as luzes piscam. Tipo quando vai faltar luz e a lâmpada da sala dá aquela tremida? Bem assim.

— Isso deve ser o maluco da recepção zoando com a nossa cara, mãe. — Depois do que eu disse, né?

— Pedro, você tem que pensar antes de falar. Assim fica parecendo que eu e seu pai não te demos educação!

Mães: de onde elas vêm? Por que falam sempre as mesmas coisas? Por que sempre têm razão? Não perca, nesta sexta-feira, no Globo Repórter!

Chegamos na tal suíte presidencial. Gente! Dava para abrigar umas dez famílias dentro. Até agora não entendi porque melhoraram o nosso quarto, mas, né? De cavalo dado e de suíte trocada não se olham os dentes nem o tamanho da cama!

— Filho, vou ligar pro seu pai e pro seu irmão e avisar que já estamos instalados e que tá tudo bem, viu? Cuidado pra não se perder no quarto — brinca mamãe, também impressionada com o luxo da suíte.

Quando ela vira as costas e vai para o quarto anexo, é claro que faço o que qualquer um faria: pego distância, corro e me jogo na cama! Ah, de vez em quando é bom fazer essas bobagens. Quem nunca?

Epa. Peraí. Este quarto tá tremendo. Saca terremoto, tremor de terra? Eu sei que no Brasil não tem muito disso, mas rola no Chile e nos Estados Unidos o tempo todo. Dei um pulão e juro para vocês, de verdade, que a parede se mexeu. Não, eu não tô doido! A parede se mexeu e tá se mexendo! Parece que tem alguém... esticando o quarto. É isso! A suíte tá ficando maior... E menor... O teto tá lá no alto... E agora tá baixinho! Ai, bati a cabeça! Gente, isso não pode ser verdade. Não pode ser real! Cadê a minha mãe?

— Mãe! Onde você tá?!

— No anexo, Pedro! No telefone com seu pai! — responde ela, com um berro.

— Tá tudo bem aí? — pergunto, com cuidado para não criar pânico no recinto!

— Tá, sim. Vai tomando seu banho pra gente sair pra comer alguma coisa.

Peraí. No anexo tá tudo bem. Isso tá acontecendo só aqui, no meu quarto. Só comigo. Será que é um recado do Gulov... Mas por que ele ainda não apareceu? Mano do céu, o que tá acontecendo? Agora as cores estão mudando... Tá tudo vermelho... Agora azul...

As paredes estão esticando... E agora tá vindo uma luz... A mesma luz de quando eu estava no avião! Caraca, se juntassem uns cinco sóis não daria essa luz... Cadê meus óculos escuros? Não consigo ver mais nada! Tô ficando cego!

Ei, peraí, cadê minha mão? Meu pé tá sumindo! Ai, gente... Vai começar tudo de novo!

CAPÍTULO 2

Abro os olhos e a luz forte começa a desaparecer. Lentamente, as coisas ganham forma de novo. Vejo troncos verdes e finos, bem altos, alcançando um céu azul que eu conheço muito bem... Levanto a mão e meus dedos sumiram... É isso aí, galera: como eu imaginei, estou de volta ao jogo!

Ah, Gulov... Em que roubada você me meteu desta vez? O que esse velho tem de poderoso e misterioso, tem de sorrateiro. E será que vou reencontrar logo o RezendeEvil virtual e a galera do vilarejo? Eu mal consegui me despedir de todo mundo, da outra vez...

Pensando bem, é meio estranho: hoje eu vim parar aqui sem ter visto nenhum sinal dos amigos que me ajudaram na outra aventura. Da última vez, o Gulov apareceu no evento onde eu estava, fez um monte de perguntas estranhas com aquela voz cavernosa dele, e só *depois* me arrastou para dentro do jogo! Desta vez, tirando o upgrade inesperado de quarto — e vai, nem é tão esquisito assim, essas coisas às vezes acontecem mesmo —, não teve nada muito fora do normal.

Nada do Gandalfinho me perseguindo, perguntando sobre universos paralelos... Eu simplesmente vi uma luz no avião e outra no hotel, minha suíte presidencial ostentação se distorceu toda e agora eu tô aqui de novo. Hmmm... Será que estou sozinho desta vez? Espero que não. Se bem que, na boa, eu já passei por uma dessas antes e tô aqui, vivão, tranquilo e favorável.

Me levanto do chão e, olhando em volta, parece que estou no meio de um bambuzal. Parece até o começo daquela série de TV com a ilha misteriosa e os sobreviventes do acidente de avião... Sabem? Aquela da escotilha... É uma das minhas preferidas!

— Pra que lado eu vou? — Penso em voz alta. Dou mais uma olhadinha ao redor e vejo que tem um ponto onde a vegetação parece menos densa. É para lá mesmo que eu sigo!

Começo a andar na direção que escolhi e sinto um vento bem refrescante no rosto... Isso me lembra de quando eu andava de bicicleta com meu pai todo domingo de manhã, e também das férias de verão na praia... E não dá outra! Vou parar em uma praia, mesmo. Com direito a coqueiros e tudo. De sede eu não morro!

Foco, Rezende! Você não está aqui curtindo férias. Aliás, a pergunta que não quer calar é: como eu vim parar aqui? E, o mais importante de tudo, onde é "aqui"? Isso só pode significar uma coisa: hora de explorar!

Olho para os lados e vejo que tem um morro lá no final da praia, à esquerda. Se eu estivesse no meu mundo, acho que ficaria com a maior preguiça de andar até lá... Mas como estou aqui dentro do jogo, já viu, né? Pego um bocado de água (obrigado, coqueiros!) e, me sentindo mais aventureiro do que nunca, parto pedaços de uma árvore próxima e preparo um cajado naqueeeeele improviso.

Olha só! Aposto que estou estiloso pacas, hein? Se estivesse com meu celular aqui, tiraria uma selfie e colocaria a legenda:

@rezende_oficial PARTIU AVENTURA! *E aí, quem me acompanha? #RezendeEvil #Andarilhos #Desbravadores #ADR*

A.D.R.? Se você não sabe o que é, pergunte a um dos Amigos do Rezende.

É, pensando bem, talvez isso seja um pouquinho demais... Tem gente que #exagera na #hashtag! Agora vamo que vamo, sem medo de ser feliz, porque eu quero subir aquele morro pra ver se consigo entender melhor onde eu vim parar desta vez.

Começo a andar, contando os coqueiros para me distrair... Depois do quadragésimo segundo, chego ao pé do morro e procuro uma maneira de subir. Ainda bem que tem uma trilha relativamente clara até lá em cima... Pelo visto, não sou a primeira pessoa a vir aqui. Só falta eu chegar lá no topo e descobrir que estou em um resort virtual cinco estrelas, daqueles com bebidas gostosas com guarda-chuvinhas no copo!

À medida que vou subindo, paro algumas vezes para descansar e tomar uma aguinha de coco pra dar aquela recuperada, né? Só faltava estar geladinha pra ficar perfeito! A cada paradinha dessas, olho para trás e para baixo... Tenho a impressão de que não estou só em uma praia, mas em uma ilha! Talvez quando eu chegar ao topo consiga confirmar minhas suspeitas (ou não...). *Vamos lá, Rezende, falta pouco!*

Ando mais um bocado pela trilha... É, com certeza já teve gente passando por aqui, tá tudo certinho demais pra ser algo que a natureza (virtual ou não) criou por acaso. Chego no topo do morro, onde tem várias árvores e arbustos que eu não conseguia avistar lá de baixo. Olho para a praia de onde saí e bem que eu estava certo! Isso é uma ilha mesmo! Ela não parece muito grande, porque só de olhar em volta vejo praticamente todo o contorno... E quando finalizo a volta, viro para trás e tenho outra surpresa: existe outra ilha ao longe!

Na outra ilha de pedra — é, ela parece bem mais rochosa e com bem menos árvores que a ilha onde estou agora — tem uma construção enorme... Daqui de longe, parece um castelo, ou uma mansão gigantesca. Será que é habitada? Ou pelo menos já foi habitada em algum momento? Vou te contar, se agora que está com sol a pino a silhueta da mansão já parece assustadora, pensa como deve ficar à noite! Já até imagino aqueles uivos de lobo que rolam em filmes de terror...

Bom, acho que tenho um novo destino para explorar. Ou vou ter que nadar um bocado ou improvisar um barco, porque daqui pra lá é uma distância daquelas...

Meu raciocínio é interrompido por um barulho estranho no meio dos arbustos. Será que tem alguma fera selvagem por aqui e eu não percebi? Tomara que não, porque ainda não parei pra construir nem sequer uma espadinha de madeira. Seguro o cajado com as duas mãos, como se fosse um daqueles monges que lutam kung fu em filmes de ação, e me preparo.

— Pode vir! Vem pra cima que eu não tenho medo de você! — digo, esperando não me arrepender das minhas palavras.

De repente, a criatura salta da moita! Não é uma aranha, nem um zumbi, muito menos um daqueles bichos explosivos. É ninguém menos que...

— Puppy?

Quando percebo, fui derrubado pelo meu amigão cachorro, que já me ajudou em muitas aventuras e agora está lambendo meu rosto todo!

— Hahaha! Como é bom ver você, amigão! — comemoro, enquanto o cãozinho não para de fazer festa e brincar comigo.

Tiro Puppy de cima de mim e me levanto antes que ele consiga me escalar de novo.

— Como é que você chegou nesta colina, cachorro? O Rezende virtual está aqui? — pergunto, mesmo sabendo que jamais terei uma resposta que não seja um latido, um ganido ou um uivo.

Mesmo sem entender como Puppy veio parar aqui, ando até o outro lado do morro com ele atrás de mim e olho pra baixo. Tem outra trilha e... É, parece que este lugar guarda mais surpresas do que eu imaginava! Vejo que lá embaixo tem um navio encalhado na praia — ou o que sobrou dele... Bem, se eu não puder usar o navio (mesmo porque meu conhecimento náutico não é dos maiores), pelo menos consigo material pra fazer uma canoazinha.

— Vamos lá, amigão! Hora do passeio!

Só que ele não vem quando eu chamo, o que é bem estranho. Vejo que Puppy está perto de uma das árvores, concentrado... Farejando, ao que parece. Ele começa a cavar...

— Ah, Puppy, qual é? Não vai me dizer que achou um osso ou algo assim.

Ele dá um latido abafado que chama minha atenção. Olho para baixo e ali está Puppy, abanando o rabo, com alguma coisa na boca... e não é um osso. Não acredito no que estou vendo. Não pode ser verdade! Como se esbarrar no meu amigo canino em uma ilha deserta e desconhecida já não fosse inesperado o suficiente...

É uma boneca de pano. O negócio é que não é uma bonequinha qualquer. Ela está com um colar no pescoço com um nome que me é bem familiar...

Marina.

Cara... É a boneca da menininha do vilarejo da minha aventura passada! A garota me deu a boneca quando eu e o Rezende virtual saímos para acabar com o dragão que estava destruindo tudo por lá. E, quando voltei, devolvi o brinquedo, junto com aquele colar! Quando estico a mão para pegar a boneca, Puppy sai correndo na direção da trilha que leva para o navio em ruínas.

Como essa boneca veio parar aqui? E o Puppy, o que está fazendo aqui sozinho? Será que todos esses acontecimentos estão ligados? Parece que o destino reuniu a gente de novo, e só posso achar que tem um motivo grande por trás de tudo isso... E vou descobrir qual é.

CAPÍTULO 3

Vou te contar, hein: esse Puppy tem uma disposição pra correr que deixaria meu cachorro do mundo real com a língua de fora de tanto cansaço! E eu achando que ele ia descer a trilha com cuidado, com medo de cair… Que nada! É como se ele fizesse esse caminho todo dia.

Quando eu ainda tô no meio da estradinha descendo o morro, o danado fica pulando, abanando o rabo e abaixando a frente do corpo. É, ele tá me chamando pra brincar. Que bicho mais folgado!

Não demora muito e eu chego no nível da praia, perto do navio que vi lá do topo. A vela do mastro parece em bom estado, mas percebo que tem um grande rombo no casco… Acho que isso não é por causa do encalhamento, não. Quem quer que tenha feito essa parada forçada na ilha não deve ter perdido tempo e reaproveitou o material.

Ainda bem que não levaram tudo, porque é exatamente isso que eu decido fazer também! Afinal de contas, se tem uma coisa que faço muito neste ambiente é construir, construir e construir. Mesmo que isso envolva desfazer outras construções.

Estou com uma quantidade bem respeitável de metal, madeira, corda e couro para não ser pego desprevenido. Essa é uma das vantagens de estar neste mundo virtual: se eu fosse carregar tudo isso no mundo real, ia precisar de um carro ou até de um caminhão, mas, por aqui, as coisas funcionam de outra maneira. É pesado, sim, mas não parece tanto.

Meu pensamento é interrompido por algo, e desta vez não é o latido do Puppy. Aliás, é praticamente o contrário disso: ele parou de latir e brincar, e parece muito concentrado em alguma coisa. Do nada, parece que resolveu virar um perdigueiro e usar seu olfato para a caça! Ele fareja o chão, levanta o focinho para o ar e anda para longe dos restos do navio.

O que será que ele tanto procura, hein?

Com o nariz perto da areia, Puppy vai farejando, lentamente se aproximando da água… e para. Ele olha para a ilha das pedras e começa a latir.

— O que foi, amigão? Você quer atravessar, é?

Ele olha pra mim e volta a latir. Eu me pergunto se ele farejou algo conhecido... Será que é o Rezende virtual?

— Como se eu já não tivesse motivos para atravessar, né, Puppy? Deixa comigo que eu resolvo essa parada rapidinho.

Uma coisa é certa: ir nadando não vale a pena, ainda mais ao lado de um cachorro. E é por isso mesmo que vou botar a mão na massa — ou, no caso, na madeira e no metal — e fazer um barquinho pra levar a gente até lá com segurança. E por falar em "segurança", melhor eu criar também umas armas e equipamentos extras pra essa travessia.

Faço uma listinha mental:

- Armadura de couro: confere.
- Espada de metal: confere.
- Arco e flecha: confere
- Vara de pescar: confere.
- Remos: confere.
- Mantimentos: batatas e maçãs na mão, peixes eu pego no caminho. Outros legumes e verduras, especialmente alface e tomate: nem pensar!

Agora que já tenho o equipamento básico, é hora de fazer o barquinho e sair pro mar antes que o sol se ponha. Passo um tempo calculando o melhor tamanho pra seguirmos viagem até a ilha de pedra com aquela construção meio sinistra.

Enquanto construo minha incrível embarcação, me pego pensando em que situação fui me meter desta vez... O que será que tem naquela ilha rochosa que tanto atrai a atenção do Puppy? Me pergunto se vou conseguir achar pistas do paradeiro do Rezende virtual... Porque, na boa, é meio preocupante estar aqui e ainda não ter visto nem sinal dele, ou do Gulov... Tomara que esteja tudo bem com o pessoal lá do vilarejo. Espero que esse mau pressentimento seja bobagem.

Enfim, chega de ficar remoendo essas ideias, mesmo porque acabei de finalizar o barquinho! Se eu tivesse uma garrafa, quebraria no casco pra comemorar a viagem inaugural e trazer sorte... Mas não tem nenhuma garrafa aqui, então tenho que improvisar com um coco.

Quanto antes eu terminar essa travessia, mais perto vou estar de... Sei lá, de onde eu tiver que chegar. Ficar parado aqui é que não vai rolar! Coloco o Puppy a bordo, empurro o barquinho da areia pra água e pronto: rumo ao mar!

Conforme começo a remar na direção da outra ilha, vejo que Puppy parece um pouco mais tranquilo. Verdade que continua atento e de vez em quando para o que está fazendo para olhar pro nosso destino, mas pelo menos não está tão inquieto quanto antes.

Esse solzinho do fim de tarde está bem gostoso, mas já tá quase de saída. Dá para ver a lua cheia aparecendo à medida que a noite cai. É, galera, acho que a travessia vai demorar um pouco mais do que eu pensava. Tá, já passei da metade do caminho, mas com esse luar tão brilhante e o mar calmo... Até dá pra ir mais devagar.

E ainda bem que tá essa claridade toda porque, se eu precisasse de iluminação estando sozinho em um barco, ia dar ruim pacas. É só fazer a conta:

Barco de madeira + tocha em chamas + cachorro ajudante = desastre

Ofereço uma batata ao Puppy, que come meio a contragosto. Acho que ele prefere carne, né? Não seja por isso: vou deixar a vara de pescar apoiada no canto do barco e ficar de olho pra ver se os peixes mordem.

O cachorro se deita perto dos meus pés enquanto eu observo o mar e penso que essa calmaria tá me dando um sooooono.... Acho que não vai dar nada se eu tirar um cochilo antes de chegarmos em terra firme...

De repente, meu sono é interrompido por algo puxando a linha na água. Olha só que sorte! Pego a vara de pescar para puxar nossa próxima refeição. Dou um puxão e algo puxa de volta.

— Eita! Parece que vem um peixão grande aí, Puppy! — Ele levanta a cabeça, levemente interessado, e deita de novo. — Que belo companheiro de pescaria você está se saindo, hein, cachorro?

Eis que outro puxão bem mais forte quase me derruba do barco. O mar começa a ficar um pouco mais agitado, e um tremor faz com que Puppy levante num pulo. Olho ao redor e vejo movimentos circulares em volta do barco.

Visto minha armadura e pego as armas, porque tenho um pressentimento muito, MUITO ruim sobre o que está por vir.

CAPÍTULO 4

Se tem uma coisa que aprendi com esse jogo é isto: precaução nunca é demais, e pode ser a diferença entre a vitória e a derrota. E vendo esses bichos cercando meu barco, penso que eu provavelmente encontraria meu fim mais cedo do que o esperado, se estivesse sem equipamento.

Eu já tinha ouvido falar dessas criaturas: são peixes que parecem de pedra, cheios de espinhos e com um olho esquisito. Em grandes quantidades, podem ser bem perigosos. E é claro que vieram atrapalhar nossa tranquila pescaria, né? Poderiam ser lulas, peixes de pequeno porte, mas nãããããooo...

Eles não ficam só nadando em círculos. Vez ou outra, um deles tenta virar o barco com um encontrão no casco. Estou de olho nessa zoeira, seus peixes malditos! Já vi que tentar acertar flechas neles vai ser muito difícil... Quando jogo lá da minha casa, não vejo o mar fazendo onda nem nada — fica só aquela coisa paradona, como se fosse uma piscina.

Só que isso é a maior enganação! Pra quem tá aqui neste mundo, a coisa muda bastante. Tem onda, tem rodamoinho, tem de tudo nessa bagaça. E, com essas ondulações na água, mirar é complicado. Tento acertar as flechas, mas os danados são escorregadios como... bem, como peixes.

Aqueles que chegam mais perto do barco e consigo ver com a ajuda do luar, até acerto — nem sempre, mas vocês entenderam. Alguns chegam a pular pra fora da água, tentando alcançar a gente com os espinhos.

É, galera, é um peixe voraz. Não, não... perdão: *cardume* voraz.

Não é hora de desanimar! Enquanto Puppy tenta morder os monstrinhos miseráveis que fazem acrobacias aéreas, decido improvisar uma proteção em um dos cantos do barco, erguendo uma pequena parede de tábuas de madeira — não é nada indestrutível, mas vai dificultar os ataques, pelo menos por um dos lados.

Do nada, ouço um barulho que vai do grave ao agudo em segundos... E, de repente, um clarão e um feixe de luz vermelho saem da água! Aff, como é que eu fui esquecer *disso* logo agora? Lembra que eu falei que o olho deles era "esquisito"? É porque, diferente dos peixes da Terra, estes daqui disparam lasers do olho. Nem preciso explicar o quanto *isso* é perigoso!

Acho que levantar esse muro teve um lado bom e um ruim. O bom é que temos menos um lado por onde esses peixes podem nos atacar; o ruim é que isso deixou o barco meio torto. Ainda bem que o movimento na água está nos levando para mais perto do nosso destino, maaaaaas... Se o bicho continuar pegando desse jeito, talvez a boa seja abandonar o navio e ir nadando.

Só que... como fazer isso com as águas infestadas desses peixes horrorosos?

Já vi que o lance é continuar enfrentando o inimigo e resistir a bordo o máximo que a gente conseguir... Depois, maluco, é meter o pé na estrada. Ou, no caso, sair nadando pra não morrer na praia. Já passei por coisa pior do que isso. Pra quem já detonou um dragão ancestral, ser derrotado por um cardume — por mais sinistro que seja — só pode ser brincadeira.

Presto atenção, querendo sacar de onde estão vindo os barulhos e os lasers, me esquivando enquanto faço meus melhores disparos com o arco e flecha nos peixes que são ousados o suficiente para pular. E você acredita que alguns até se jogam no convés? Com esses aí, nem desperdiço meus disparos: nada que uma espadada bem dada não resolva.

Um deles tenta soltar contra mim um dos espinhos, que passa de raspão no meu braço e vai parar na mureta do barco. Se não fosse pela armadura, podia ter sido game over pra mim. Olho para o Puppy, que está feroz como nunca, mas também um pouco machucado pelas investidas dos peixes.

Se dá pra fazer armadura pra cavalo aqui neste mundo, bem que podia ter um jeito de fazer uma pra cachorro, não é? Quando a gente sair desta roubada, vou ver se consigo fazer algo do tipo para o amigo inseparável do Rezende virtual. E meu também, é claro.

Os primeiros raios de sol começam a aparecer no horizonte, e a quantidade de peixes que nos ataca diminui. Sei que o tempo passa diferente por aqui, mas imaginar que passei *a noite inteira* lutando contra essas criaturas sinistras é impressionante.

Pouco a pouco, os monstrengos começam a rarear, até que a calmaria volta.

— É isso aí, cachorrão — falo para meu companheiro canino. — Sobrevivemos a mais uma juntos. Somos. A. Melhor. Equipe.

Puppy parece bem desanimado e exausto. Acho que ele precisa de descanso, e de cuidados que não tenho como dar em um barquinho no oceano. Hora de pular da Embarcação Sem Nome e fazer o resto do percurso a nado. O Puppy já me salvou no passado, e é hora de retribuir o favor.

— Deixa que eu te carrego até lá, carinha. É isso que os amigos fazem quando os outros precisam, né?

Pego o cãozinho no colo e ele começa a ganir. Vejo que tem alguns pequenos pedaços de espinhos dos peixes no corpo dele, além de uma queimadura provavelmente causada por um laser que passou de raspão. Ainda bem, porque não quero nem imaginar o que teria acontecido se ele tivesse sido atingido em cheio. Não mesmo.

Antes de pular na água e nadar para a ilha de pedra, dou uma última conferida no Puppy, para ver se tem mais algum ferimento que precise de atenção imediata. Felizmente, foram só dois espinhos mesmo, mas não dá pra negar que ele tá o puro suco do cansaço, só o pó da rabiola... Enfim, ele tá o bagaço da laranja.

Coloco o cãozinho nos ombros e entro na água. Depois de nadar uns dois minutos — nem era para demorar tanto, mas tenho que carregar um paciente muito especial até lá —, chegamos à praia. Olho para trás e vejo a ilha de onde viemos, com aquele morro alto e os destroços do navio, que está um *pouquinho* mais destruído por minha causa... Mas a necessidade é a mãe da invenção, né?

Eu me viro e observo nossa nova localidade. Devagarinho, ponho Puppy no chão e ele se senta com uma carinha de quem está prestes a desmaiar. Tadinho. Eu queria ter dado um peixinho para ele comer, mas com nosso imprevisto marítimo não teve como.

— Aceite esta maçã, amiguinho. Ô, não me olha assim. Eu sei que não é sua comida favorita, mas fica como promessa de que você vai sair dessa... E vai bater aquele pratão de carne que você curte tanto!

Bem devagar, ele come a maçã e volta a ficar um pouquinho mais animado — nada parecido com a festa que fez para mim na primeira ilha, nem de longe, mas, comparado a como estava, parece outro cachorro. Quando ele termina de comer, começa a farejar o ar, vira o focinho e late baixinho.

— O que houve, Puppy?

Vejo que tem uma estradinha de pedra na direção em que ele está latindo. Parece que tenho um novo caminho a seguir... Sei que deveria deixar Puppy esperando quietinho enquanto procuro mais mantimentos... Só que, nessas condições, não tenho como. Até que ele melhorou um pouco depois do lanchinho, mas ainda tenho que ficar de olho nele.

Com a corda que peguei lá no navio, dou um jeito de carregá-lo nas costas com segurança. E vou fazer isso com o maior orgulho, porque ele não é um peso pra mim: ele é o meu cachorro.

CAPÍTULO 5

O.k., é real: estou de volta ao jogo. Tá, não foi exatamente um susto ver minhas mãos e meus pés quadrados de novo. Mas, desta vez, nada faz muito sentido. Pensa comigo: Gulov não tá aqui, e até agora não sei o que aconteceu com o Rezende virtual. Minha única pista é o Puppy latindo em direção a uma ilha de pedras, uma ilha em que eu nunca pisei antes. Manda mais problema que tá pouco!

Pra completar, o Puppy tá machucado e não tenho coragem de deixar o coitadinho andar por essa estrada. Sabe quando seu irmão mais novo é criança, fica brincando com aquelas pecinhas de montar e deixa tudo espalhado pelo chão, aí você vai beber água e pááááá, pisa com tudo nas pecinhas? Essa estrada é mais ou menos assim: um monte de pedregulho em que, se eu não pisar direito, posso não só machucar o pé como também escorregar e cair. Se tá ruim pra mim, imagina pro Puppy...

Resultado: ele tá aqui nas minhas costas, que nem uma mochilinha. Tô tipo o Luke Skywalker carregando o mestre Yoda em *Guerra nas Estrelas*, em um dos filmes antigos, saca? A única diferença é que o Yoda com certeza é mais leve que o Puppy! Acho que esse danado tá comendo muita ração quadrada!

Mas, pelo visto, esse monte de pedra não é o pior. Eu já ia começar a reclamar do calor, só que... tá começando a chover! E não é aquela chuvinha besta não, é aquela chuva que molha até a meia! Socorro! Pera, parece que está parando... e tá começando a nevar! Mano do céu! Daqui a pouco vou ter que esquiar, em vez de andar. E o Puppy tá aqui todo encolhidinho nas minhas costas, deve estar batendo queixo também...

Ufa, a neve tá diminuindo. E o que é isso? Nem lá em Londrina o tempo muda tão rápido. Tá um vendaval agora e, não fosse meu cajado improvisado, não ia nem conseguir ficar de pé. E... tá quente de novo! Caramba! Já saquei tudo: são ciclos climáticos que se repetem, só que de forma super-mega-hiperacelerada! Ainda bem que eu prestei atenção nas aulas de Geografia! Quer dizer... sinceridade? Ainda bem que eu colei quando essa pergunta caiu na prova. Mas abafa o caso!

Só que, óbvio, esse esquenta-esfria-venta-esquenta vai me deixando cansado. Tô espirrando direto, já. Onde tem hospital nesta ilha? E se eu pegar uma pneumonia? "Calma, Rezende, foco." Atchim! Será que... Atchim! Será que tem alguém me vendo de algum lugar e controlando tudo, tipo apertando uns botões? Alguém que mande neste universo, que tenha criado tudo isso... E que esteja me vendo, vendo que eu tô cansado... E fica lá, mexendo nos biomas. E se... e se for a mesma pessoa, ou a mesma coisa, que me trouxe aqui? E se...

Cara, minha cabeça vai explodir! E se essa mesma pessoa tiver alguma coisa a ver com o fato de eu não saber do paradeiro do Gulov, ou do Rezende virtual?

Pera, preciso sentar e pensar melhor. Estou todo ensopado, e minhas costas estão doendo de carregar o Puppy até aqui. Olhando pra trás, percebo que já caminhei um bocado. Ainda falta um pedaço, mas eu tô o puro suco do cansaço. Vou só esticar as pernas um pouquinho aqui e recostar nessa pedra, tirar o Puppy das costas e dar água pra ele, que não aceita mais nada para comer. A água também tá acabando, mas não vou deixar meu amigo com sede, né?

— Isso, Puppy, toma um golinho aqui. — Do nada ele rosna baixinho, sem se mexer. — Calma, cara! O que foi?

Quando olho para o outro lado, vejo uma alcateia só vigiando a gente. Uma alcateia quer dizer um monte de lobos. Uma galera de lobos. O que se faz numa hora dessas? Olho pro Puppy e... quando olho de volta, os bichos não estão mais lá. Como assim? Eu juro que eles estavam ali! Será que eu tô alucinando e não sei? Gente, essa ilha é de deixar qualquer um bolado!

Bom, eu juro que queria ficar encostadinho aqui por um bom tempo, mas não posso parar. Pelo menos até entender por que estou aqui, onde estão meus amigos e quem está por trás de todos esses lances sinistros que estão rolando. Pelas minhas contas, agora vai voltar a fase de calor, então é melhor eu me apressar, porque é muito menos pior caminhar debaixo de sol que da neve e da chuva!

— Puppy, volta aqui pras minhas costas e vamos nessa.

Seria bom encontrar um lago para me reabastecer de água e achar uns peixes... A praia já está bem distante e nossos suprimentos estão acabando... Precisamos ir em frente! De onde estou, na estrada de pedras, já consigo visualizar a mansão. Saca aqueles desenhos animados em que o pessoal tá no meio do deserto e quando finalmente enxerga um oásis, ele parece que fica mais longe quanto mais se chega perto? Ou quando você tá no carro, voltando de uma viagem, e dá aquela vontade de fazer xixi, e quanto mais perto de casa você está, mais apertado você fica? Então, é assim que estou me sentindo.

Desde a encostadinha na pedra, a sensação que tenho é que já se passaram muitas horas. Estou contando os ciclos climáticos e, mano, já foram muitos! A mansão está próxima, mas parece cada vez mais distante. Será que estou perdido? Eu tô congelando, e nem tá nevando agora! Bem que minha mãe sempre diz para eu levar um casaquinho... Minhas pernas estão bambas...

Tá tudo ficando escuro... Acho que eu vou...

Desmaiar?

CAPÍTULO 6

Eu tô me afogando! Eu tô... Não, pera. É só baba do Puppy mesmo. Caramba, e não é pouca baba, não! Calma, foco, preciso pensar. Encostei em uma pedra para descansar e... Fez calor, choveu, nevou, ventou... Eu vi uns lobos, resolvi voltar a andar e... Desmaiei! Foi isso. E o Puppy estava tentando me acordar, e não me afogar.

— Você é esperto mesmo, hein, amigão? Mas eu já tô bem, vamos continuar a caminhar e...Deixa eu só tirar sua baba dos olhos e... Puppy do céu! Onde é que a gente tá? Isso aqui não parece com a estrada onde a gente estava, mas não parece mesmo!

Não sei o que o Rezende virtual andou fazendo com esse cachorrinho na minha ausência, mas a única explicação para o que está acontecendo é ele alimentar o Puppy com ração quadrada turbinada com *whey protein*. Ele conseguiu me arrastar até aqui! Que bichinho forte!

"Mas onde é aqui, Pedro?", alguém poderia perguntar. Sei lá, parceiro! Vamos lá, é hora de fazer cara de conteúdo e analisar a situação.

Estou na mansão, aparentemente, num salão que parece de filme de terror, saca? Tem uma lareira acesa... Será que é um sinal de que alguém estava aqui? Ou um mordomo vampiro cuidou disso, e agora vai voltar pra me servir de jantar pro seu amo? É, porque em histórias de terror sempre tem um mordomo sinistro, né?

Bom, não tem luz elétrica, só velas, e o papel de parede é mais velho que o meu primeiro computador. Tem uma escadaria daquelas divididas em dois lados, uma pra esquerda e outra pra direita, do tipo que a gente sempre fica com medo de tropeçar e sair rolando até o chão... E é só isso. Nenhuma pista a mais!

Não sei para que lado ir. Perto de mim, Puppy fareja, fareja e não sai do lugar. Bom, acho que vou ter que arriscar, né? Vamos na direção que parece mais iluminada. Já tô legal de susto por hoje!

Já posso comemorar pelo menos uma vitória nesta volta ao universo do jogo: não caí da escada. Pensa comigo: não sei direito onde estou, nem o que estou fazendo aqui, nem onde está o Rezende virtual, e muito menos o Gulov, o Gandalfinho da voz mais trevosa de todos os tempos. Bom, pelo menos esse andar de cima é um corredor. Um corredor... Enorme. Um corredor gigante. Engraçado que ele me lembra alguma coisa... Parece com algum lugar... Sei lá, devo estar confundindo com algum meme que vi na internet, bem capaz.

O fato é que é um corredor enorme. Vou andando e parece que ele fica cada vez maior... Agora tem uma virada para a direita e... É isso, estou no mesmo lugar. Depois desse primeiro reconhecimento da área, reparo melhor nos detalhes. O papel de parede é parecido com o da sala com a lareira, mas em melhor estado. O chão tem um carpete com estampa esquisita. E as portas são iguais, e tem muitas e muitas delas! Pode até ser que atrás dessas portas eu encontre alguma resposta para tantos mistérios!

Como minha mãe me ensinou a ser educado, antes de ir entrando eu bato à porta. Vai que tem algum hóspede fantasmagórico do século retrasado descansando no quarto, né? Brincadeira, brincadeira. Se eu vejo um fantasmão acho que saio correndo até chegar de novo em Londrina! Bom, tô batendo aqui e ninguém atende.

— Senhor fantasma? Serviço de quarto! — Ah, eu não resisto a uma zoeira!

Já que ninguém responde, faço o que qualquer pessoa faria: pego distância e dou um dos meus famosos bicudões na porta. Gente! Por pouco não quebro a perna (quadrada). Essa porta parece de madeira, mas deve ser de adamantium, pelo visto! Tiraram todo o que tinha no corpo do Wolverine e puseram nessas portas! Já que o método RezendeEvil de Abertura de Portas não funcionou, vou fazer como meu pai faria: pôr a mão na maçaneta e girar. É. Também não dá certo.

Só se... Será que é uma porta específica que eu tenho que abrir? Ou será que eu tenho que abrir todas, uma por uma, para ativar alguma coisa? Aff, se nada na vida é fácil, por que neste universo do jogo seria, não é mesmo? Vamos lá. A primeira porta não abre. A segunda porta não abre. A vigésima porta, *nananinanão*.

Olha, não é pra tirar onda, mas eu até acho que sou um cara meio esperto. Tanto tempo criando histórias e ambientes no jogo me deixaram mais atento, sabe? Jogar me deixa mais ligado e.... Peraí, cadê o Puppy? Ele tava aqui do meu lado agorinha mesmo! Como eu ia dizendo, jogar me deixa mais atento e... É, esquece, acho que depois de me perder do Puppy em uma mansão sinistra nunca mais ninguém vai acreditar no que eu estava falando. Mas eu juro que é tudo verdade!

Só me faltava essa. Não basta estar num lugar no meio do nada, o Puppy ainda tem que sumir!

— Puppy! Puuuuuppy!

De longe eu escuto um "au, au". É, a menos que essa mansão cabulosa tenha um cão de guarda do além, só pode ser ele. Vou seguindo os sons e...

— Puppy, pelamordeDeus, para de me dar susto! Não sai mais do meu lado! O que você tá farejando, hein?

Ai, Senhor, tô dizendo que o Rezende virtual tá dando anabolizante pra esse cachorro. Aposto que, em vez de beber água, o Puppy toma energético também.

— Não pode, Puppy! Pra onde você tá in... Ei, me espera!

Saio correndo atrás do Puppy, que não para de farejar. A impressão que eu tenho é de que estamos dando voltas pelos mesmos corredores, mas as portas são ligeiramente diferentes, então eu sei que estamos avançando. Boa, Puppy! Quando eu já tô tonto e ofegante, botando os bofes pra fora, esse cachorro ligado no 220 volts para de repente. Assim, do nada. E começa a latir de um jeito que eu nunca vi. Puppy está tomando distância, parece até que vai bater um pênalti!

— Peraí, Puppy, o que você tá fazendo?

Se meu bicudão não funcionou, não posso dizer o mesmo da estratégia de Puppy. Caramba!

— Puppy, você tá forte mesmo, hein?

Agora a porta está entreaberta, e esse danado não para de latir. Ouço uma voz familiar:

— Pedro, é você?

CAPÍTULO 7

— Rezende? — pergunto, tentando esconder a surpresa ao encontrar meu parceiro de aventuras neste mundo.

Puppy começa a latir e pular, comemorando o reencontro. Nem parece que estava acabadão poucas horas atrás.

— Pedrão! Você por aqui! — comemora o Rezende virtual. — Não imaginei que fosse te ver tão cedo… Quer dizer, eu tinha certeza de que a gente se encontraria de novo… Mas, considerando onde a gente tá agora, não imaginei que fosse ver ninguém tão cedo!

— Me explica, cara: o que é que tá acontecendo? — pergunto ao Rezende. — Como é que você veio parar aqui nesta mansão sinistra?

Ele respira fundo, encosta no batente da porta entreaberta, olha em volta e diz:

— Olha, vou tentar resumir o máximo possível o que rolou. Um tempo passou desde que a gente derrotou aquele dragão ancestral, você voltou pro seu mundo e as coisas tinham dado uma acalmada...

— Ah! Por falar em "dragão ancestral"... — interrompo o que ele está dizendo. — Tenho que te contar um negócio que rolou quando voltei pra casa...

— Tá, tá! Depois! Então, continuando... Hã, onde eu parei mesmo? — pergunta ele, sem me deixar falar, e num tom que eu fico sem saber se ele está irritado ou me zoando. — Isso que dá me interromper...

— O dragão morrendo, eu sumindo, o tempo passando.

— Ah! Isso mesmo! — relembra o Rezende virtual, aliviado. — Aí, um belo dia, eu saí pra uma das minhas expedições com o Puppy. Passei mais ou menos, hã, uma semana fora do vilarejo. Eis que eu volto, crente que ia rolar aquela festa dos aldeões para me receber, ganhar aquela bebida de cortesia na taverna, o tapinha nas costas que o Gulov dá quando está feliz... E nada.

— "Nada"?

— É. Nada. O vilarejo estava completamente vazio. Entrei na taverna, e aquela moça bonita não estava mais lá... e nenhum cliente, também. A varanda da vovó dos gatos estava vazia, a não ser pelo novelo de lã e as agulhas de tricô que estavam no chão. O padeiro...

— Acho que já entendi, Rezende. Todo mundo sumiu.

— É! Até o Gulov, rapaz! Até ele! Voltei correndo pra casa com o Puppy pra ver se algo estava fora do normal... Assim que eu entrei, a porta se fechou atrás de mim com a maior força! Levei um susto daqueles e virei pra trás pra ver se tinha alguém lá. Ninguém. Quando virei de novo, as paredes estavam se esticando como um túnel! Tudo estava ficando distorcido e tinha uma névoa sinistra lá no final... e eu vi um vulto muito esquisito, mas não deu pra distinguir direito. O que me marcou foram os olhos brilhantes.

Olhos brilhantes? Não sei por quê, mas isso me soa muito familiar...

Rezende continua:

— A luz dos olhos foi ficando cada vez mais forte, até que eu não conseguia ver mais nada no meio daquele clarão. Quando abri os olhos... Bem, eu estava neste quarto. E é estranho, porque não faço a menor ideia de quanto tempo se passou desde que brotei neste lugar.

— Curioso você mencionar isso, Rezende... — comento. — Tem algumas coisas meio parecidas com a minha chegada aqui.

Explico a situação toda: a viagem de avião com a minha mãe, o brilho esquisito no céu, a chegada ao hotel, o inesperado upgrade de quarto pelo funcionário com fotofobia...

— ... aí eu falei com a minha mãe, as paredes do quarto começaram a esticar que nem borracha e um clarão muito forte me cegou. Acordei de volta aqui neste mundo, só que em outra ilha aqui perto.

Falo sobre o reencontro com o Puppy (e de como ele encontrou aquela bonequinha com o colar da Marina no pescoço), do navio arruinado e do ataque dos peixes sinistros. Quanto mais eu conto, mais Rezende parece curioso e perplexo.

— ... então eu acordei em frente a uma lareira, com o Puppy do lado.

— É, Pedro... A gente tava mesmo precisando botar o papo em dia. Ainda não tô entendendo como o Puppy foi parar nessa praia, é bem provável que ele tenha saído pra me procurar — diz Rezende, assimilando aos poucos tudo o que ouviu. — Bem, acho que eu já estou *por aqui* desse lugar esquisito. E se você conseguiu entrar, de repente a gente consegue sair juntos.

— De repente?

— É, ora. Eu não consigo abrir essa porta por nada... — Ele para de falar. — Eu estou encostado na porta e ela tá entreaberta, né?

Eu faço que sim, me perguntando como esse avoado pode ser uma das partes da profecia do Herói Duplo. Se bem que, né, vou dar um desconto: assim como eu, o Rezendão passou por poucas e boas. Ele também veio parar nesta mansão sinistra sob circunstâncias misteriosas.

Explico pro Rezende que chegar neste quarto foi a maior complicação; se não fosse pelo Puppy, eu provavelmente ainda estaria vagando pelos corredores que nem um fantasma. É como se este lugar aqui fosse um grande labirinto em que as coisas nem sempre são o que parecem.

— Espero que você saiba como levar a gente de volta à tal sala da lareira que você comentou — diz Rezende.

Saímos do quarto e... vemos o salão principal com a lareira no final do corredor, à direita. Como assim, gente? O que aconteceu com o labirinto, com os corredores repetitivos? Bem, não tô reclamando. Rezende me olha com uma cara que eu não consigo captar se é de felicidade, de decepção ou de vontade de me zoar.

— Nooooossa, Pedro, que corredores impossíííí-veis de explorar! — comenta ele, tentando segurar o riso e comprovando que ainda gosta de uma zoeira. Ele fala de um jeito tão engraçado que não tem como ficar com raiva!

Saímos pela porta da frente da mansão, olhamos pra cima e reparamos algo bem estranho: um pedaço do céu fica trocando de clima o tempo todo — sol, chuva, neve, como se o termostato estivesse muito desregulado —, mas é só nesse pedaço. Além disso, vejo a estrada de pedra que contorna a mansão. Sugiro que a gente siga por ela para ver o que tem do outro lado.

Rezende concorda e continuamos andando. Papo vai, papo vem, e notamos que algumas pedras ao lado da estrada têm umas pinturas rupestres — tipo aquelas da época das cavernas, sabe? Isso me deixa bem curioso e percebo que algumas coisas parecem familiares. Um desenho mostra o que parece um chapéu pequeno e um chapéu grande com um monte de macarrão entre eles...

— Isso não faz sentido nenhum, Pedro — diz Rezende.

Paro pra pensar um pouco e... NOSSA! Caiu a ficha!

— Não, Rezende! Os "chapéus" na verdade são desenhos das duas ilhas onde estamos, e o "macarrão" nada mais é do que o mar que separa as duas.

Ele faz uma cara de "aham, Cláudia, senta lá"... depois sua expressão muda lentamente para "ih, e não é que ele tem razão?". Intrigados, decidimos continuar seguindo a estrada e constatamos que têm mais pinturas nas outras pedras adiante. O que poderia parecer um ouriço e um monte de palitos a olhos destreinados é, na verdade, uma representação dos peixes vorazes que atacaram meu barco!

Mais pra frente, vejo uma pintura do que parece ser a mansão, e um desenho meio caótico, meio garrancho, no meio do que seria o céu. De repente, um brilho leve encobre o último desenho, como se o sol estivesse refletindo em algo metálico. Olhamos para a fonte da luz e vemos...

— Lobos! — grita Rezende, botando a mão no cabo de sua espada.

Olho para os animais... e eles não são hostis. Parecem os mesmos que vi antes de desmaiar....

— Rezende, calma! Não ataque!

— Por quê? — pergunta ele, encafifado.

— Porque... porque eu já vi esses lobos antes, cara. Achei que era coisa da minha cabeça, mas pelo visto não era. E tá vendo que eles não estão em posição de ataque, né?

— É, acho que sim.

A alcateia se senta, e um dos lobos, usando uma coleira metálica, avança. Animais selvagens não costumam usar coleiras... Isso indica que ele pode ser um animal domesticado, ou pelo menos treinado.

Puppy corre na direção dele — que parece ser o líder do grupo — e, ao se aproximar, a alcateia inteira se levanta e começa a descer a estrada lentamente. Puppy segue seus novos amigos, e acho que a boa é segui-los também.

— Olha, Rezende... tô achando que nada disso é por acaso, cara. Achar aquela boneca com o colar da Marina? Eu aparecer na mesma ilha desconhecida em que o Puppy estava, e ele me levar até você?

— Verdade, amigo. E eu estou tão intrigado quanto você com todos esses acontecimentos! Quero saber onde estamos, o que aconteceu com os aldeões do vilarejo e com o Gulov. E, principalmente, como sair desse lugar desconhecido!

— Sinto uma nova aventura pela frente, Rezende. Siga aquele cachorro!

CAPÍTULO 8

Vou ser bem sincero: acho que nunca corri tanto na vida. Nem quando jogava futebol. Quer dizer, a verdade é que eu nunca treinei na linha, né? Sempre fui goleiro, mas eu treinava de manhã, de tarde e de noite! Tem gente que diz: "Ah, ele passa o dia inteiro jogando no computador, não faz nada, vai fazer um exercício físico!" É mesmo, é? Olha eu aqui agora!

O pior? Não posso contar sobre essas aventuras no universo do jogo para ninguém, nem para o João, meu irmão. Imagina, #RezendeEvilTáDoido ia parar rapidinho nos Trending Topics!

Agora que eu encontrei o Rezende virtual, parece que algumas peças desse quebra-cabeça estão começando a se encaixar — claro que são as peças das pontas, porque as do meio... essas ainda estão meio nebulosas! Agora estamos seguindo Puppy e seu novo melhor amigo, o Lobo Que Veio Do Nada E Que Ainda Não Consegui Pensar Num Nome Engraçado Pra Ele.

Estamos eu e o Rezende virtual, o Rezende virtual e eu, seguindo um monte de lobos por uma estrada de pedras em uma ilha que eu nunca imaginei conhecer. Bom, pelo menos desta vez eu já sei que o tempo no universo do jogo corre diferente do mundo real. Lá em Recife, se bobear, minha mãe ainda tá falando com meu pai por telefone.

— Terra chamando Pedro... Terra chamando Pedro... Não responde mais quando te chamam? Ou esqueceu que aqui você é Pedro e eu sou Rezende? Já te falei isso da outra vez. Se liga, mano! Tá com a cabeça onde? Tá pensando na morte da bezerra quadrada? — pergunta Rezende, me trazendo de volta ao mundo real, quer dizer, ao mundo virtual, mas que agora é real... Ah, você entendeu, vai!

— Desculpa, cara... É que eu bati a cabeça quando era criança. Fiquei um pouco lesado mesmo. — Vou mentir? Todo mundo que acompanha meu canal na internet sabe disso!

— Tá bem, tá bem. Vou botar essa na conta da sua emoção de me reencontrar. Estava com saudade de mim, eu sei, eu sei! — Mas esse Rezende virtual é muito galhofeiro, hein?

— Afffff! Eu não sabia que minha versão virtual era tão metida assim! Tá se achando, hein, maluco? — Eu não tinha como deixar passar essa!

— Ó, enquanto você tá aí demonstrando todo o seu afeto por mim, os lobos já estão parando. O Puppy também tá diminuindo o passo, acho que nós finalmente chegamos, aonde é que eu não sei! — comenta Rezende, me ultrapassando para se aproximar da alcateia.

Se a estrada é de pedras, onde é que nós paramos? Isso mesmo, moleques e molecas: na frente de uma pedra!

— Pedro, espia isso aqui. É uma pintura rupestre, como aquelas que a gente viu mais cedo, mas não tô conseguindo entender o que tá desenhado ou escrito... — Rezende aponta.

Chego mais perto e tenho a impressão de que a rocha está entalhada. Em outra parte, parece que tem algo em alto-relevo.

— Rezende, saca só. Encosta aqui nessa parte da pedra. Tá sentindo? Tem uns buraquinhos, outras partes elevadas... Tá parecendo uma sequência de toques...

Rezende toca um lado da inscrição, e eu, o outro. Com a ponta dos dedos, vamos acompanhando o desenho que se forma e...

— A pedra abriu! — falamos juntos e misturados.

— Rezende! Cara, você tem noção? Eu adoro passagens secretas, sempre quis achar uma! — conto para o meu amigo.

— Mesmo sem saber o que tem atrás dela? Tu é corajoso mesmo, viu? — responde Rezende. Fala de mim, mas ele mesmo já está botando um pé pra dentro da passagem que acabamos de encontrar.

Por sorte — ou não, né, já que quem passou por aqui antes pode estar mortinho da silva neste momento —, uma tocha abandonada está logo na entrada. Nós a acendemos e usamos para ver o que nos aguarda: uma construção sinistra, que lembra muito aquelas catacumbas e calabouços medievais que já vi em programas de TV.

— É, brother, não vai ter jeito. Vamos ter que encarar essa roubada. — Rezende me olha, resignado, depois para o Puppy, esse safado que já está abanando o rabinho. Nunca vi cachorro mais animado pra entrar numa fria!

— Ué, e desde quando isso é problema? — respondo de primeira.

Começamos a caminhar e reparo que, ao longo dos corredores de pedra, foram construídos pequenos quartos.

— Será que era aqui que os homens das cavernas moravam? — penso em voz alta.

— Só se fossem os homens das cavernas com problemas na justiça. Se liga, nos primeiros quartinhos, as barras de ferro já estavam corroídas, mas olhando mais pra frente, ainda dá pra ver elas. Isso aqui era uma prisão! — aponta Rezende.

— Você tem razão. Mas, pensando bem, sabe lá quem comandava isso aqui! Vai que era um lugar usado para prender a galera do bem? Essa ilha é toda assustadora. Não duvido nada que...

Quando ainda estou no meio da frase, a tocha volta a se apagar. Assim, do nada. Puppy começa a rosnar, como se tivesse alguém por perto.

— Tem alguém vindo aí. Pedro, pega a espada!

— Rezende, não tem ninguém vindo. Relaxa! AI, MEU DEUS DO CÉU, o que é isso? É uma barata? Me diz, por favor, que não é uma barata, Rezende!

— Ah, para. Um marmanjo desse tamanho com medo de barata? Mas fica tranquilo, eu acho que era uma borboleta. — Rezende tenta me acalmar.

— é o quê? Borboleta é outro bicho do capiroto! Socorro!

Saio correndo no escuro mesmo, sem nem pensar. Pior é ficar parado com barata e borboleta perto de mim. Tenho pavor, gente, dá licença?

— Volta aqui, Pedro! Eu tava brincando! Não tem bicho nenhum! — grita Rezende.

Tropeço no meu próprio pé e escuto uma voz, embora esteja difícil de entender o que é falado.

— Rezende, eu tô aqui!

— Tô chegando, Pedro! Você ouviu uma voz...

— Ouvi, ouvi! Chega aqui porque eu não tô entendendo direito, não!

— Ai! Caramba! Por que tem que ter tanta pedra no caminho? E por que é tão difícil caminhar no escuro?

Não sei explicar como, mas vejo sem ver que o Rezende já está perto de mim e, no breu total, consigo segurar sua mão antes que ele tropece também.

— Valeu, cara! Como você me viu nesta escuridão? — pergunta Rezende.

— Pois é, eu não te vi. Eu senti seu movimento, saca? Meio confuso mesmo, eu sei.

— E essa voz, hein?

É bom saber que não tô ficando maluco sozinho. O Rezende também tá meio lelé. Respiro fundo e primeiro sinto um cheiro de flor, o que é bem esquisito, já que estamos num calabouço que tem o delicioso aroma de mofo!

— Você tá usando desodorante? — pergunto.

— Por que isso agora, Rezende? E que cheiro é esse?

— Não fui eu, foi o Puppy!

— Quê? Ah, não, não é isso, Pedro! Cara, veio um cheiro de flor! Você sentiu?

O.k., agora eu tô oficialmente bolado. Fecho os olhos e umas luzes surgem na minha cabeça. Tipo um caleidoscópio, mas com um rosto que não consigo ver bem... A voz... Fica mais alta, mais clara.

— Rezende... Fecha os olhos.

— A gente já tá no escuro, Pedro, não vai fazer diferença!

— Rezende... Só fecha os olhos. Agora.

— Uou! Mano, o que foi isso? Será que são fantasmas que estão aqui falando com a gente?

Ele também viu. E ouviu.

— Fica de olhos fechados e vem atrás de mim, Rezende. Puppy, segue a gente!

Continuamos caminhando pelo calabouço. E a voz vai ficando mais alta na minha cabeça, mais clara e compreensível. "Estou aqui! Não desista! Estou à sua espera!"

— Pedro, a voz disse que tá perto — fala Rezende, baixinho. Se eu não o conhecesse tão bem, diria que ele está com medo!

— É aqui! — falamos juntos, mais uma vez, depois de andar por muitos minutos. Ou horas? Não faço ideia! Esse negócio de andar na escuridão ouvindo uma voz desconhecida te guiar... é muito louco.

De repente, sinto um nó na garganta. Como se alguma coisa estivesse presa lá e quisesse sair. Eu preciso dizer... Não sei o que é... Mas vou falar.

— Marina! — dizemos Rezende e eu, em coro. Puppy só faz um "au" bem alto.

Eu poderia jurar que essa cela tinha barras de ferro. Só que, quando eu coloco a mão, não tem nada ali. E uma luz bem fraca vem do fundo do aposento.

Marina. Esse nome... Tudo faz sentido agora.

— Eu consegui... Nós conseguimos... Não acredito! — exclama ela.

CAPÍTULO 9

Eu até agora não sei como ela fez isso, mas foi a Marina que nos trouxe até aqui. A voz na minha cabeça e na do Rezende, o rosto no caleidoscópio... Era dela. Eu tenho certeza: essa Marina é a mesma Marina do colar da boneca, das expedições do vilarejo... Só pode ser ela.

— Eu sabia que você ia me encontrar! Eu sabia! — diz Marina, presa por correntes e aparentando estar um pouco fraca. — Vocês dois, na verdade... Você aí, em pé... me é familiar...

— Eu sou o Pedro, Marina, e ele é o Rezende — explico, enquanto Puppy quase afoga a menina com tantas lambidas na cara.

— E como você sabe meu nome? Quer dizer, eu

sei que provavelmente fui eu que guiei vocês até aqui, mas... — pergunta ela, um pouco impressionada, mas não assustada.

— É uma longa história, Marina, mais complicada do que você imagina. E desde quando você tem esses poderes telepáticos?

— Desde... Não sei, eu sempre fui assim. Eu...

— Pedro, vamos sair logo daqui. Pode ser uma armadilha — alerta Rezende, discretamente, falando entredentes, preocupado com o que pode acontecer conosco.

Juro que não entendo por que o Rezende está assim, desconfiado. Mas num ponto ele tem razão: é melhor mesmo sairmos daqui o quanto antes! Empunho a espada e tento mirar nas correntes, enquanto Rezende vigia a porta.

— Tem alguma parte da sua mão que você goste menos, Marina? — Tento fazer piada para dar uma desanuviada no ambiente, mas acho que não soa bem.

Ela sorri, mas também cobre o rosto com a mão, de tanta vergonha alheia. Começamos bem por aqui!

— Respira fundo e golpeia de uma vez — diz ela, provavelmente pensando em onde foi amarrar seu bode. — Se eu perder uma das mãos, tudo bem, qualquer coisa é melhor que ficar presa aqui.

Eita nós. Essa garota é firmeza, hein?

— Pedro, faz o que ela tá falando. Agora! Os guardas estão vindo! — berra Rezende, da porta da cela.

— AGORA! — gritam Marina e Rezende, ao mesmo tempo, combinandinho.

Fecho os olhos e dou um único golpe. Enquanto acho que ela está lá, toda ensanguentada e estrebuchante no chão, os dois gritam de novo:

— ANDA, PEDRO!

Os dois já estão na porta do calabouço, ele de espada na mão, ela com um arco e flecha. Caramba! Pra quem estava presa por correntes até agora há pouco, Marina tá ótima!

Dou uma corridona e alcanço os dois. Puppy está em posição de ataque. Em questão de segundos analiso a situação: uma saída à frente, uma à esquerda, outra à direita. Dez guardas às nove horas e mais dez às três horas. Eu sempre quis dizer isso! Nove horas, esquerda; três horas, direita. Pescou, pescou?

— Pessoal, acho que... — começo a falar o plano, mas sou interrompido pela garota.

— Rezende, Pedro! A postos! Cada um cobre um lado! Eu sigo em frente e nos encontramos no final! — grita Marina.

De costas para mim, Rezende resmunga baixinho:

— Acabou de chegar e já quer sentar na janelinha...

Mas não tenho nem tempo de responder: os guardas vêm para cima com tudo. Tenho medo não, meus queridos! Podem vir que a gente dá conta!

— Valendo! — grita Marina.

Ela dispara pelo corredor em frente à cela, atraindo guardas das duas direções. Eu foco no lado esquerdo, e Rezende, no direito. Marina atira uma flecha, que atinge o primeiro guarda da fila. E... ele vira pó!

— Rezende! Mermão, você viu isso? — pergunto, em choque.

— Vi o quê? — responde Rezende, dando uma espadada no guarda que se aproxima, e que também vira pó, cinzas, farelo, diante dele.

Bom, só eu me impressionei com o guarda "do pó viemos, ao pó voltaremos"? Sim, só eu, Pedro Afonso Rezende Posso, o RezendeEvil real, o que manja dos jogos, o edição limitada, o diferentão, já sei, já sei!

Não perco tempo pensando demais. Vráááá! Tá achando que aqui é bagunça, amigo? Farta distribuição de golpes! Mais um! Vrááá! A estratégia da Marina é impecável: ao correr em frente, ela reduziu o número de guardas que eu e Rezende teríamos que enfrentar no corpo a corpo, enquanto com o arco e flecha ela consegue atingir os caras e deixar o chão numa poeira só. Bom, era esse o meu plano, né? Só que leva o crédito quem fala primeiro, e aí... já viu.

— Pedro, esse é o último! — diz Rezende, cercado por mais um montinho de farelo de guarda do mal.

— Por aqui, rapazes! — chama Marina, já à frente e com Puppy ao lado. Esse Puppy é cheio de conversa, hein, papai? Já tá lá todo assanhado do lado da Marina. Bom, o importante é que estamos fora de perigo! Meio a contragosto, Rezende se vê obrigado a falar alguma coisa.

— Foi uma boa ideia, Marina, parabéns — diz ele, daquele jeito que parece mais estar lendo uma carta de demissão do que realmente dando parabéns a alguém.

— Obrigada. Mas isso só foi possível porque agimos juntos, Rezende — responde ela.

Olha, sem querer ser chato, mas já sendo, eu sinto que tá rolando um clima meio pesado. O que a gente faz nessas horas? Êêêêê, isso mesmo, uma piada ruim!

— Ufa! Olha, eu quase roí as unhas que eu nem tenho por causa desses guardas lazarentos. E agora, o que a gente faz? Procura um aspirador ou deixa essa sujeira aí? Dá pra dar uma encostadinha e relaxar antes? — digo, já me jogando na parede.

Sabe quando você vê um filminho em câmera lenta de um momento que você sabe que vai dar errado? Rezende, Marina e Puppy me olham com cara de paisagem e, ao mesmo tempo, um alçapão secreto se abre no chão. E nós vamos caindo... caindo... Só consigo fazer uma leitura labial do Rezende:

— Queeeeeem maaaaandou dizeeeeeer queee adoora passaaaaageeem secreeeeta?

CAPÍTULO 10

Caraca! Eca! Que cheiro horroroso é esse? Acabamos de cair no que parece ser um lixão. E olha que a gente nem tem nariz direito neste ambiente virtual, hein? Imagina se fosse no mundo real! O chão tá grudento, BLERGH. O Puppy também não está lidando muito bem com a situação, depois de sua pequena aventura em queda livre. Olho para o lado e o Rezende se levanta com uma maçã meio mordida na cabeça.

— Rezende... Devagar... — digo a ele. — Não se mexe...

— Hã? O que foi? — pergunta Rezende. — Tem alguma coisa atrás de mim? Me fala!

— Não é isso, não. Acho que eu consigo acertar

essa maçãzinha em cima da sua cabeça com uma flechada se você...

— PEDRO! Isso é hora de me zoar? Olha só a nossa situação!

Marina deu um pouco mais de sorte e caiu em um lugar onde a terra é mais fofa.

— Que bela maneira de se começar uma amizade — comenta ela, irônica. — Bem, pelo menos vocês sabem rir na cara do perigo! Isso é bom.

É aí que percebo que não chegamos a ser apresentados direito entre o intrépido resgate e a queda no lixão. Tá, eu sei que foi pouco tempo, mas né? Meus pais não criaram alguém sem educação! Posso ser um zoador nato, *trollar* meu irmão e tal, mas mal-educado não sou. Eu e Rezende perguntamos como que ela foi parar nessa, hã, como dizer, ótima localidade.

— Claro, vamos ter tempo pra bater papo... Mas não precisa ser neste lugar fedorento, né? — responde Marina, sendo a voz da razão. — Vamos dar uma procurada pra ver se tem uma saída!

Olhando em volta no meio de um monte de tranqueiras que a gente prefere não saber o que é — esse é um daqueles casos raros onde a frase "a ignorância é uma bênção" cai bem —, percebemos que tem um canto um pouco mais claro. Ao chegar mais perto dele, dá pra sentir uma corrente de ar vinda de fora...

— Acho que encontrei uma saída! — comemora Rezende, acenando com a mão e nos chamando. — Sigam-me!

Avançamos por um longo corredor cilíndrico (quer dizer, tão cilíndrico quanto este jogo permite, né) e, assim que nos afastamos do fedor do ambiente onde a gente estava, Marina começa a contar sua história.

— Obrigada pela força, rapazes. Eu não aguentava mais aquele calabouço maldito — desabafa ela. — E olha que eu nem tenho frescuras com lugares inóspitos, viu? Faz parte do meu treinamento.

— Treinamento? — pergunta Rezende a ela. — O que você faz?

— Vou explicar. Eu faço parte da Aliança Desbravadora Revolucionária... Ou, pra simplificar, A.D.R.

— Taí, curti o nome — comento, me segurando para não abrir um sorriso.

— Obrigada. Eu e quatro companheiras partimos em uma expedição... uma delas, Cássia, era novata e estava em sua primeira missão com a gente, sabe? Demos essa chance à Cássia porque ela pareceu bem promissora no teste de admissão. Ela acertou tudo de primeira! Nenhuma do nosso grupo tinha gabaritado a prova. De 5 em 5 anos abrimos uma vaga na A.D.R. para alguma menina de outra aldeia, e ela foi a melhor de todas até hoje.

A felicidade com que Marina conta essa história começa a mudar para um tom de preocupação:

— Infelizmente... Bom, digamos que as coisas não correram nada bem. No meio das cavernas perto do nosso vilarejo, Cássia começou a agir de uma forma... muito estranha. Teve uma hora em que eu perdi um presente que ganhei da minha família quando comecei o treinamento, e foi só eu mencionar o fato que ela começou a surtar. "Você acha que eu te roubei? Tá me chamando de ladra?" E ninguém estava acusando ela de nada! Cássia estava se sentindo acuada, paranoica, chegou a deixar de comer e tudo o mais. Ela já estava falando sozinha, baixinho, e duvidando que o tal dragão da profecia do Herói Duplo existisse.

Rezende faz uma cara de surpresa quando ela menciona a profecia.

— Ela escrevia pelas paredes: "O dragão é uma mentira!" — continua Marina. — Mas nós continuamos explorando mesmo assim, até que encontramos o dragão no fundo das cavernas. Por sorte, o Gulov apareceu. Ele disse que o dragão era um monstro muito forte para nós cinco enfrentarmos sozinhas, e nos aconselhou a ir embora sem acordar ele. Só que, quando a gente estava fazendo o caminho de volta, a Cássia saiu correndo sem motivo algum. E lá fomos nós atrás dela, naquela rede de cavernas. Foi aí que percebi... — O tom de preocupação dá lugar a um tom triste, decepcionado. — Conforme a gente corria, eu não ouvia mais as vozes das minhas companheiras de expedição. Como se elas estivessem... desaparecendo, sabe? Isabella foi a primeira... Depois foi a vez da Lara... Valentina foi a penúltima a sumir... Quando eu estava me aproximando da Cássia, que gritava "Fica longe de mim!", as cavernas começaram a se encher de luz... Quando dei por mim, eu e Isangrim estávamos em um lugar desconhecido, cheio de guardas.

— Espera aí — me intrometo. — Isangrim? Vocês não estavam em um grupo de cinco?

— Ah, sim, claro! — responde Marina, levando a mão à testa. — Isangrim é o meu lobo de estimação. Eu passo tanto tempo com ele que parecemos um só. Depois de um ano de A.D.R., cada uma de nós adota um lobo. Enfim! Consegui derrubar dois guardas, mas os outros me cercaram, e aí não teve jeito: me levaram e me prenderam no calabouço onde vocês me encontraram... E tudo o que eu conseguia lembrar esse tempo todo era aquela luz na caverna... e aqueles olhos terríveis. — Marina respira fundo, esboça um sorriso e completa: — Bem, se eu estou viva, é possível que minhas companheiras também estejam! Mesmo que eu não saiba onde... E vou fazer o possível para reencontrá-las. É nessas horas que o Gulov faz falta... Ele saberia mais sobre isso.

— Você conhece o Gulov? — pergunta Rezende, com um olhar esquisito.

— Claro! Ele é o sábio da minha aldeia — responde Marina.

Rezende olha para mim com um jeito meio estranho e volta a olhar pra ela com uma cara de mais desconfiança ainda. Surpreso com o relato, eu comento:

— Marina, essa sua história parece com muita coisa que aconteceu com a gente...

— É, é verdade — interrompe Rezende. — Luzes, aparecer em um lugar desconhecido, olhos brilhantes, esse tipo de coisa. Muito esquisito isso. Muito.

— Pois é — diz ela. — Eu desejei tanto que alguém me escutasse nesse tempo todo de prisão... Tenho certeza de que, depois de tanto tempo desaparecida, todos no meu vilarejo já pensam que estou morta. Mas as coisas sempre acontecem por um motivo... E vocês sabem como vieram parar aqui? Vocês têm alguma ligação com a profecia?

— Bem, alguma ligação a gente com certeza tem... — respondo, alcançando minha mochila e pegando a boneca com o colar que tem o nome dela.

O sorriso que Marina abre não tem preço. Ela vem e me abraça forte.

— Muito, muito, *muito* obrigada — diz ela, parecendo o mais feliz que a vi desde que nos encontramos. — Onde você achou isso?

— Na verdade, foi esse jovem aí que achou — respondo, apontando para o Puppy. — Ele estava na ilha onde apareci quando... Bem, quando apareci do nada em uma ilha desconhecida neste mundo. Ops, falei demais?

— Que nada, Pedro — responde Marina, tirando o colar da boneca e colocando de volta no braço, como uma pulseira. — Eu já tinha sacado que você não era daqui. Pode chamar de intuição, se quiser. Como você veio parar aqui sem a magia do Gulov é um grande mistério... E obrigada, Puppy! Você é o meu herói.

— Cuidado, senão o seu lobo vai ficar com ciúmes! — brinco, e ela ri. O Rezende também está sorrindo, mas não diz nada, só observa...

À medida que continuamos a caminhada pelo corredor, começo a compartilhar com ela alguns detalhes sobre minha outra visita a este mundo. Conto da ida ao vilarejo e do encontro com o Rezende, com o Gulov e o resto do pessoal que mora por lá. Ela presta a maior atenção até quando comento que vimos os túneis com os restos da expedição.

Na hora em que vou falar sobre quando vimos as pichações nas paredes antes de encontrar o dragão...

— AHHHHHHHHHHHHH!

Começamos a rolar por um cano íngreme como um tobogã, sacolejando e batendo nos cantos... Ai, meu Jesus Cristinho! Poucos segundos depois, caímos no mar. Quando voltamos à superfície, está todo mundo bem. Ufa!

— Galera, adoro montanha-russa... mas não daria outra volta nessa aqui, não.

— Eu e você, Pedro — responde Rezende. — Eu e você.

Vemos que a linha da areia está próxima e nadamos para lá. Quando colocamos os pés em terra firme, conversamos e chegamos à conclusão de que precisamos sair desta ilha. Meu barco é pequeno para três pessoas e um cachorro, então a solução é...

— Precisamos de um barco maior — conclui Marina. — Você tem algumas peças de madeira e metal, Pedro, mas isso só dá pra montar o esqueleto do barco. Vocês dois, montem a estrutura. Vou ali apanhar mais madeira e já volto.

— Quem te nomeou chefe? Eu não votei em você — reclama Rezende.

— Ah, claro! Se quiser tanto assim ficar aqui na ilha, Rezende, pegue sua própria madeira e faça uma casinha — rebate Marina. — Não sei vocês dois, mas *eu* quero ir embora.

— Relaxa, galera — digo, tentando acalmar os ânimos. — Fica tranquila, Marina. Vai lá que a gente agiliza a estrutura do barco. Leva o Puppy junto, por via das dúvidas. Vamos trabalhar, Rezende.

Rezende resmunga baixinho pra si mesmo e segue para começar a montar o barco enquanto ela caminha até a pouca vegetação que há por perto.

Quando Marina se afasta, tento quebrar o gelo com ele:

— *Mandona* a moça, hein, Rezende?

— Pedro, você precisa ter mais cuidado com sua boca — responde ele, na maior seriedade. — Sei que o que ela contou sobre a expedição bate com o que vimos por lá, e foi por isso mesmo que dei corda pra ver até onde a história dela ia, mas... e se essa garota for uma espiã? Uma impostora? O Gulov disse que a Marina era a líder da expedição que encontrou o dragão, mas eu não a conhecia pessoalmente. Essa garota aí pode estar só fingindo ser a verdadeira Marina! Ou, pior ainda, ela pode ser a responsável pela nossa situação atual! Você *quase* falou que nós somos os caras da profecia e que matamos o dragão, cara!

— Mano, sei lá... eu tô com um bom pressentimento sobre ela. Mesmo porque, na boa, parece que ela precisou que eu e você nos uníssemos de novo pra ser libertada.

— Só te peço para ter cuidado. Quero chegar logo no vilarejo e investigar o que aconteceu. Vai que tudo foi destruído na minha ausência? Eu nunca me perdoaria. Nunca.

Passados alguns minutos, eu e Rezende terminamos nossa parte do barco, e é o tempo de a Marina voltar com Puppy e... uma cara que acho familiar...

— Ei, é o lobo que vimos mais cedo!

— Sim! Esbarrei com o Isangrim, que, ao que tudo indica, já era amigo do Puppy. Nem precisei apresentá-los — brinca Marina. — Ó, trouxe não só a madeira como alguns frangos que o lobo estava escondendo, esse espertinho. Vamos terminar de montar essa banheira, rapazes? Pelo menos agora eu também posso dar uma força! Quero voltar logo pra minha casa, descobrir o que houve com minhas amigas, recuperar o tempo perdido... e desvendar o que está por trás desse nosso encontro improvável, já que não é coisa do Gulov...

— Tranquilo, mas vamos pegar leve na divisão de tarefas. Gritar ordens é meio caído — digo a ela.

— Gente, é o meu jeitinho, não é por maldade — responde Marina. — Já vi que vocês dois trabalham superbem em dupla. Agora, ou a gente aprende a trabalhar em equipe, ou não vamos chegar a lugar nenhum. Talvez literalmente. União, rapazes. É isso que interessa.

União. Foi a união que me fez chegar onde estou. Alguns minutos depois, a união de nós três faz com que tenhamos um barco confortável para zarparmos usando os conhecimentos de navegação da Marina.

Eu confio nela, mas... E o Rezende?

CAPÍTULO 11

Comparado ao barquinho que eu construí no começo da jornada, este aqui é um iate. A bordo — eu, Rezende, Marina, Puppy e Isangrim —, nem parece que tanta coisa já aconteceu.

Vamos lá: de um hotel no mundo real para uma praia no universo do jogo. Da praia para uma ilha de pedras. Da ilha de pedras para uma mansão mal-assombrada. Da mansão para um calabouço. Do calabouço para um lixão. Do lixão para o mar. E dali para a outra a praia de novo, como um ciclo se fechando.

O curioso é que estamos indo para o vilarejo, o que me dá a impressão de que os ciclos não se fecham... Eles são... cíclicos, saca? "Dã, Pedro, é claro que ciclos são cíclicos, que ideia!" Não, cara, eu quero dizer que eles estão mais para ondas que vão e vêm. Tanto que estamos indo para o vilarejo de novo!

    De longe, em alto-mar, vejo a mudança de climas exatamente em cima da ilha de pedras. Começo a coçar o pescoço, e o Rezende me conhece bem o suficiente para saber que, quando faço isso, é porque tô bem ansioso! Bom, é ansiedade ou uma alergia tensa, hehe.

    — Nossa, Pedro. Como você conseguiu passar por lá? Só de olhar daqui eu reparei que choveu, nevou, ventou e esquentou em questão de minutos — observa Marina, atenta a tudo que pode interferir na nossa embarcação.

    — Isso não foi nada. Quer dizer, foi puxado e eu cheguei a desmaiar, mas o Puppy me arrastou até a mansão onde o Rezende estava encalacrado. — Conto quase toda a história em cento e quarenta caracteres!

    — Você quis dizer encarcerado, enclausurado, detido, isolado, preso... — corrige Rezende, mais bem-humorado.

    — Não, eu quis dizer encalacrado mesmo! Vai dizer que você não tava numa pior? — respondo e finalizo, pra não perder a piada: — Mas, neste verão, você decidiu fazer algo diferente...

— Pedro, isso é um memeu, né? Já te expliquei que essas coisas do seu mundo não chegam aqui! — reclama Rezende, me fazendo rir ainda mais.

— "Memeu"? É *meme*, Rezende! *Meme*!

— Meme, memeu, meseu... É tudo a memesma coisa! — diz ele, entre risos.

Pela primeira vez desde que encontramos Marina vejo Rezende baixar um pouco a guarda. É engraçado: estar aqui de volta ao jogo me fez ver que, enquanto eu sou um cara mais estrategista, que quando cisma com uma coisa vai até o fim, o Rezende virtual é mais nervosinho, sabe?

Seja como for, aparentemente está tudo tranquilo: Marina observa o vento e o rumo do barco, Puppy e Isangrim dividem amistosamente um franguinho, eu fico de olho na neve na ilha de pedras, até que... O caldo dá uma ligeeeeeira entornada.

— Marina, sabia que tem uma coisa que eu sinceramente acho um pouco estranha nessa história? — pergunta Rezende, num tom que eu classificaria de mocinho desafiando o vilão na novela das nove.

— Oi? Do que você tá falando? Do ser de olhos brilhantes? — devolve ela, sem entender nadinha. Nem eu tô entendendo aonde ele quer chegar!

— Rezende, cala a boca, mano! — falo entredentes, sem que Marina veja.

Mas não adianta. Parece que minha intervenção deixa ele ainda mais motivado a desembuchar o que quer que esteja passando por aquela cabeça avoada.

— Você diz que conhece Gulov e fala do vilarejo... Mas eu não lembro de ver você por lá. Não é um lugar assim tão grande... Todo mundo se conhece... É estranho, não?

— Eu disse que você me era familiar. Isso não basta, Rezende? — Marina acaba de entrar no riiiiiiingue de batalhas! Que vença o melhor!

— Ser familiar é meio complicado, né? Eu posso ser familiar porque você assistiu a um filme com um ator de queixo quadrado parecido com o meu. E não porque nos conhecemos de verdade — rebate Rezende.

Olha, acho melhor eu meter a colher nessa treta que tá se armando!

— Rezende, tá todo mundo meio ansioso, meio nervoso, né, eu tô até coçando o pescoço... Vamos descansar, porque o dia de amanhã...

— Não, não tem ninguém nervoso aqui, Pedro! Eu tô até bem calmo. Só quero que a Marina explique como ela sabe de tanta coisa sobre um lugar onde ela nunca esteve. Será que ela tem um clone? Será que ela tem um holograma? Será que ela se divide em duas ou, pior ainda, será que ela finge ser quem não é? — Ai, meu Jesus Cristinho, e eu que achava que a gente já tinha passado da fase da torta de climão!

— Rezende, aonde você quer chegar com tudo isso? Eu não tenho medo de você, não. Já encarei coisa pior — devolve Marina.

Eu preciso fazer alguma coisa.

— Chega, vocês dois! Qual é o problema? Vocês tão dodóis da cabeça? Marina, você mesma disse que a gente tem que trabalhar em conjunto, em equipe. Rezende, desde que encontramos a Marina você tá com uma pulga atrás da orelha. Pronto, falei. Aqui todo mundo é amigo, e é conversando que a gente vai se entender! Não me façam usar a psicologia infantil e mandar um dar a mão pro outro coleguinha! Parem que tá feio, apenas melhorem. Temos que nos unir e montar esse quebra-cabeça juntos — grito na cara deles e acho que o barco até estremece. — Rezende, o que tá pegando? Sem textão. Desembucha.

— Minha dúvida é: como ela sabe de tanta coisa sobre o vilarejo, sobre o Gulov e a profecia do Herói Duplo se ela nunca esteve lá? Eu vivi a vida inteira naquele lugar, sempre vendo os mesmos moradores, todo santo dia. Todo mundo acredita que a verdadeira Marina está morta, até o Gulov. Pra mim, ela é uma impostora. Ou, pior ainda, tá ligada a sei lá quem que trouxe a gente pra cá e sumiu com o Gulov e com todo mundo da aldeia. Você não queria sinceridade? Tá aí!

Eu nunca vi o Rezende tão sério na vida.

Marina dá um suspiro, daqueles bem altos e suspirosos, que sua mãe provavelmente dá quando perde a paciência com você. Ela se aproxima dele de um jeito que dá até medo, andando rápido e espumando de raiva. Olha, não sei não, mas acho que ela vai rachar a cara do meu amigo. Apenas acho.

— É muita audácia da sua parte, Rezende, achar que você tem todas as respostas e que sabe de tudo que acontece neste universo. Você é muito arrogante! — Rezende vira de costas e dá de ombros. Cara, erro fatal! Ela fica com mais raiva ainda. — Olha pra mim quando eu estou falando com você, Rezende! Volta aqui! — irritada, Marina puxa Rezende pelo braço, como se fosse dar um sacolejão no maluco.

Mano do céu! O que tá acontecendo? "Foco, Pedro, foco!" Do nada, comecei a ver umas imagens estranhas. É bem parecido com quando a Marina nos mandou aquelas mensagens telepáticas… e começou no momento em que ela tocou o braço do Rezende.

Já entendi! Por causa da profecia, eu vejo o que ele vê, sinto o que ele sente… Nós somos dois, mas somos um só. E essas cenas que estão passando na minha cabeça na verdade estão passando na dele!

Aquele caleidoscópio de novo… Vejo duas crianças, um menino e uma menina… Eles estão brincando juntos e construindo uma espada… Subindo numa árvore… Caçando… Pera, agora a menina tá chorando! Tem alguém com ela no colo… É o apotecário! Quer dizer, uns anos mais novo, mas é o apotecário… E a menina vai embora.

Eita, é como se tivesse passado um filme na minha cabeça! Abro os olhos e vejo que Rezende e Marina estão abrindo os deles também. A mão dela não está mais no braço dele. E aí rolam aqueles quinze segundos de silêncio, e eu fico meio sem graça.

— Ninguém vai falar nada? Eu também vi tudo, gente. Essa conexão telepática da Marina deve ter um raio de alcance de quilômetros — sou obrigado a dizer para quebrar o silêncio.

— Eu… não sei nem o que falar — responde um Rezende meio constrangido.

— Só sentir? — Não consigo perder a piada! Pena que só eu rio. Quando o melhor da internet vai chegar aqui no mundo do jogo, hein? — Agora que já se passaram trinta segundos de quase silêncio, podemos falar sobre o que acabamos de ver?

— Aquele era eu, Pedro — admite Rezende.

— E aquela menina era eu — diz Marina, meio cabisbaixa.

— Então vocês se conhecem! Só não se lembravam disso. Marina, é por isso que você achava o Rezende familiar. Rezende, acho que você deve um pedido de desculpas à Marina.

Eu tento fazer a coisa certa, né? Rezende respira fundo e aceita o meu parecer sobre a situação.

— Marina, eu… tô envergonhado. Desculpa. É o mínimo que posso te pedir. Cara, eu realmente não faço ideia de como isso aconteceu. Como nós convivemos quando éramos crianças e não nos lembrávamos de nada? Isso não faz sentido! A única coisa que eu sei, e que ficou clara pra mim agora, é que você estava mesmo falando a verdade. Você é do vilarejo.

Tá tudo muito bonito, mas… Minha curiosidade não aguenta!

— Vem cá, e como pode vocês não se lembrarem um do outro? O povo quer saber!

Marina se adianta para contar.

— Pedro, você viu algum adolescente na aldeia? Não, né? Mas viu crianças, com certeza. É que na aldeia, quando completamos certa idade, somos separados em clãs. Cada clã é formado por pessoas com determinadas aptidões, e enviado para um longo treinamento. O Rezende é um guerreiro, combate inimigos e faz viagens de caça. Eu sempre me interessei por ciência, então faço expedições, buscas arqueológicas... Como sábio da região, o Gulov é quem confirma e referenda as nossas vocações. Depois dos nossos treinamentos, alguns retornam para o vilarejo porque são mais necessários e úteis lá. Como o Rezende, que ajuda a manter a segurança na região.

— Hum, acho que tô sacando — digo eu.

— Já eu e minhas amigas da Aliança continuamos explorando este universo — continua Marina. — De vez em quando retornamos às nossas casas para reabastecer suprimentos e repassar as informações que coletamos na estrada. Mas há uma escala de retornos, sabe? Os clãs não podem nunca se encontrar. Há uma velha lenda no vilarejo que diz que, quando um casal é formado por membros de clãs diferentes, seu filho não herdará nem o dom do pai nem o da mãe. Ele não terá nenhuma função neste universo, nenhum talento. E, quando completar dezoito anos, se transformará em um zumbi e deverá ser exilado do vilarejo. É uma crendice, mas ninguém quer arriscar. É por isso que eu conheço o Gulov e sei da profecia, mas o Rezende nunca me viu. Quer dizer, nunca me viu assim, só quando éramos crianças. Essas lembranças que surgiram quando encostei nele também foram uma surpresa pra mim.

— Mas como a gente não se lembrava disso? — pergunta um encafifado Rezende.

— Quando Gulov confirma as nossas vocações, ele também usa uma magia que pouco a pouco vai escondendo nossas memórias mais antigas até que, com o passar dos anos, tudo que reste seja o começo do nosso treinamento. Não é maldade, nem nada. No começo, muitos membros de cada clã tentavam retornar para suas famílias, e desapareciam ou até morriam no trajeto. Foi o jeito que o Gulov encontrou para nos proteger — completa Marina.

— E como você sabe disso tudo? — Muito prazer, eu sou Pedro, o entrevistador!

— Esqueceu que eu faço expedições? Já aprendi muita coisa nas minhas andanças.

Puppy dá um latido e aponta o focinho para nossos mantimentos, fazendo cara de quem caiu do caminhão de mudança. O guloso quer mais frango, é isso mesmo? A cena é tão engraçada que o clima de tensão some rapidinho. Rezende dá uma gargalhada, como há muito eu não ouvia, e Marina ri junto. Aliviado, também dou uma boa risada. O mar está calmo, e com sorte pela manhã estaremos de volta ao vilarejo, prontos para descobrir o que aconteceu com Gulov e nossos amigos, e como vim parar aqui desta vez. Agora, sem segredos ou desconfianças. Ufa!

À medida que a ilha de pedras vai ficando mais e mais distante — quase não consigo mais enxergar a neve! —, reparo em Rezende olhando para Marina, que tem um mapa na mão, já que é a responsável por guiar nossa embarcação. Ela olha de volta e dá uma risadinha.

Peraí: tá rolando um clima entre eles? É isso? E eu vou ficar aqui segurando vela?

— Sabe de uma coisa, meninos? — Marina se aproxima. — Nunca imaginei que vocês pudessem ser tão parecidos e tão diferentes. É como se vocês se completassem. Como se fossem dois e um só, como se vocês fossem o Herói Duplo...

— Por que você acha isso? — pergunta Rezende, com um sorrisinho.

— Vocês me encontraram, receberam meu chamado telepático. Quando toquei seu braço, Rezende, e conseguimos acessar todas aquelas memórias perdidas, o Pedro também viu tudo. O que mais explicaria isso? Vocês fazem parte da profecia! — analisa Marina, aparentemente bem feliz com a descoberta.

— Marina, olha só: eu não confirmo nem desminto essa informação — brinco, provocando uma nova rodada de risadas pra galera. — E, além do mais, acho que o lance da sua telepatia é uma questão de alcance mesmo, tipo área de cobertura de celular, hehe.

— Pessoal, já está tarde e teremos um longo dia amanhã. Que tal se começarmos a dormir por turnos? Primeiro as damas! — propõe Rezende.

— Os bebês querem dormir? Podem dormir os dois! Eu estou no comando do nosso barco. Uma capitã nunca dorme — provoca Marina.

— De maneira alguma! A senhorita tira um cochilo primeiro. Eu e Pedro nos revezamos no leme, né, Pedro?

— Rezende, fale por você. Eu já tô... babando... de sono! — E essas são minhas últimas palavras por hoje, senhoras e senhores!

CAPÍTULO 12

— Atenção, atenção! Chegamos ao nosso destino. Podem ir lavando esses rostinhos cheios de baba e se preparando para o desembarque!

Acordo com a voz da Marina e com o sol na cara. Mas já? A impressão que eu tenho é de que não dormi nadinha! Dã, claro: o tempo aqui corre mais rápido. Do meu lado, está um Rezende igualmente zonzo de sono e um Puppy babento lambendo meu rosto. Levanto num pulo e, realmente, a paisagem é uma velha conhecida.

Tchau, praia, ilha de pedras e mansão sinistra... Olá, vilarejo amigo! Estamos bem pertinho de você agora!

— Bom dia, pessoal! Todos dormiram bem? — Rezende acorda de bom humor.

— Como eu disse, uma capitã nunca dorme, Rezende! Mas que bom que conseguiram descansar pelo menos um pouco. Temos uma pequena caminhada pela frente. Prontos para providenciar nosso café da manhã? — pergunta Marina.

— Meu Deus, algum dia você vai deixar de ser tão mandona? — Rezende faz aquela brincadeirinha com um fundo de verdade.

— É o meu jeitinho! — responde ela, acompanhada por mim. Sabia que a Marina ia dizer isso!

Enquanto ela tira do barco o que vamos precisar para seguir viagem, Rezende, Puppy, o lobo Isangrim e eu tratamos de caçar nosso desjejum. Dessa vez é mais fácil e não levo nenhum drible dos porquinhos danados que vivem ali pelos arredores. Lembro que é só bater nos bichos com minha espada que eles já aparecem fatiados. Posso confessar uma coisa? Comer essa carne de porco é bem melhor que cereal com leite. Se bem que um achocolatado não cairia mal... Taí, vou pensar em um jeito de criar um laguinho de achocolatado aqui no universo do jogo!

Como as horas passam rápido e temos pressa para chegar à aldeia, comemos rapidinho e seguimos viagem. Como é estranho estar aqui de novo! O laguinho, a montanha, os gramados, a tundra... Repassar este trajeto me traz muitas memórias. Não estranho mais meu pé quadrado, a mão quadrada... Tudo parece bem normal. Só meu cabelo que, em versão quadrada, não tem gel que dê jeito!

— Falta bem pouco... Já estamos quase chegando! — comemora Marina.

— Mais uma peça do quebra-cabeça. Uhu! Vamo que vamo! — Tô muito na pilha!

Rezende dá um pulo e, assustado, nos empurra para trás. O que que tá acontecendo, mano?

— Para, gente! Parou, parou! Vocês estão vendo o que eu tô vendo?

De repente, toda a nossa animação por estar chegando ao destino vai por água abaixo: um exército de cavaleiros-esqueletos, montados em cavalos-esqueletos, está guardando o vilarejo. É uma verdadeira legião. Parece até montagem de filme, sabe? Naquelas cenas de guerra? Quando dez pessoas são atores e as outras dez mil são feitas no computador? Aqui, todas as pessoas seriam de verdade.

— Precisamos de uma estratégia! Rezende, Marina, precisamos agir juntos. Mais do que nunca — digo, realmente preocupado.

— Pedro, uma palavra: aranhas! — responde meu amigo.

Mas é claro! A fuga das aranhas! Da primeira vez que estive neste mundo, eu e o Rezende encaramos uns aracnídeos pavorosos.

— Que aranhas? Que estratégia é essa? — pergunta Marina.

— É uma tática chamada P.A.R.E.C. — diz Rezende. — PRENDE A RESPIRAÇÃO E CORRE!

— Vão na frente que eu cubro vocês! Vou derrubando uns esqueletos a distância com meu arco e flecha. Isangrim, Puppy, vão com eles! — ordena Marina, com seu jeitinho mandão. Mas, desta vez, Rezende e eu não nos aborrecemos com a ideia. Será que estamos aprendendo a trabalhar em equipe?

— Pedro, CORRE! — berra Rezende.

Corremos pelo descampado cheio de cavaleiros vindos direto do cemitério mais próximo. Às vezes, não encarar o adversário de frente pode ser uma boa saída. Prendemos a respiração e corremos, sem parar, girando nossas espadas. Puppy e Isangrim também derrubam vários cavalos-esqueletos: para eles, são uns ossinhos a mais para roer! De longe, Marina faz uma verdadeira chuva de flechas. Continuamos correndo e empunhando a espada.

— Não para, Pedro! Se o caveiroso não cair, deixa ele pra trás! O importante é tentar atingir o máximo deles! — grita Rezende, ainda em disparada. — Ah! E eu já falei no nosso encontro com as aranhas, mas vou repetir: NÃO OLHA PRA TRÁS!

Não olhar pra trás! Foi exatamente o que eu não fiz daquela vez. Quase me dei mal com uma aranhona gorducha. Não vou repetir o erro desta vez!

— Deixa comigo, mano! — grito de volta, seguindo todas as recomendações que ele fez.

Tô aqui tentando não contar quantos cavaleiros-caveiritos ainda estão de pé, mas a verdade é que vejo cada vez mais ossos no chão. Ossos e mais ossos e mais ossos. Não sei se essa espada que construí é melhor que a antiga, ou se eu realmente estou melhor nesse negócio de lutar em campo! O que a convivência com o Rezende virtual não faz...

— Já estou chegando! — Ouço a voz de Marina ao longe. Conforme os cavaleiros-esqueletos tombam, ela se aproxima do campo de batalha e aumenta o alcance de seu arco e flecha.

O sol quadrado se move rapidamente no céu, que vai se tornando estrelado. Quando Rezende e eu alcançamos — e detonamos! — o que parece ser a última fileira de cavaleiros-esqueletos na entrada do vilarejo, finalmente me permito olhar para trás. Caramba! Puppy e Isangrim vão ter ossos para roer por uns cem anos. Nós conseguimos!

— É isso aí, Pedro! Sincronia perfeita! — diz Rezende, já me abraçando e dando um monte de tapinhas nas costas. Quer dizer, tapões.

— Que mané 300 de Esparta! Aqui três deram conta do recado! — comemoro com Rezende, até ouvir um rosnado de Puppy. — Desculpa, amigão, você está certo. Aqui somos cinco!

A esta altura do campeonato, Puppy e Isangrim estão praticamente nadando em pilhas de ossos, e Marina está correndo em nossa direção, guardando o arco e flecha. Ela nos abraça, Rezende e eu, bem apertado. Apertado até demais! Apertado... de um jeito bom. Que esquisito, cara! Saio do abraço triplo para fazer uma festinha com o Puppy. Um carinho estratégico! Rezende percebe que fiquei sem jeito e me segue:

— Vamos mimar também o Puppy e o Isangrim, que nos ajudaram à beça, né, seus espertos? — Ele se adianta e faz um afago nos bichinhos.

— Que coisa linda ver vocês dois lutando! Que movimentos perfeitos. Só o Herói Duplo seria capaz de fazer isso e...

— Marina, desculpa te interromper — diz Rezende, já interrompendo —, mas acho que vocês precisam ver o que eu achei.

Chego perto do Rezende e percebo que ele está com um papel nas mãos.

— Um mapa... do universo do jogo?

Preciso do meu queixo de volta, porque ele está no chão.

CAPÍTULO 13

Pois é, galera: um dos soldados esqueléticos que derrotamos estava carregando um pergaminho com ilustrações do que parece ser o vilarejo, a ilha do navio naufragado e também aquela da mansão. Marina pede para dar uma olhada.

— Interessante. Cada lugar tem uma numeração em cima — diz ela, pensativa. — Se não me engano, esse número em cima do nosso vilarejo passa bem perto de quantos moradores tínhamos no último censo que eu vi.

— Então dá pra imaginar que os números das outras regiões também sejam de moradores — completa Rezende. — Mas peraí: se as outras ilhas estavam praticamente vazias, tirando os guardas e os monstros... e aqui também está vazio...

— É porque todas foram levadas embooooooora, Rezeeeeende! — diz uma voz gutural.

— AAAAAAAAAHHHHHHHHHHHH! — gritamos nós três. — GULOV!

Sim, ele mesmo. O poderoso mago do vilarejo, que estava sumido há muito tempo, enfim, dá as caras. Só que ele está em uma forma de projeção astral, um holograma ou sei lá o quê, parecendo um fantasma, encostado em uma das casas.

— Você ainda vai me matar de susto! — digo a ele.

— É bom ver vocês. Tenho pouco tempo para falaaaar... Preciso ser breve... Há uma nova grande ameaça pairando sobre este mundo. Uma organização sinistra cujo plano é coletar o máximo de almas dos habitantes do mundo virtual... Por isso toooodos os moradores desapareceram daqui. Aprisionar Marina e Rezende foi vital para que esse plano funcionasse porque eles são nossos guerreiros mais valioooosos. E a organização acredita que somente o Herói Duplo poderia tentar salvar este universo... Também por isso o Rezende estava preso... para que vocês não se encontrassem... Mas deixaram ele vivo porque podia ser útil ou servir de isca em algum momento.

— Espera aí, Gulov, me explica uma coisa... — interrompo o mago. — Por que eu fui trazido do meu mundo pra cá, então?

— Ahhhhhh, meus jovens, estamos falando de um inimigo tão inconsequente quanto ambicioso. É aí que está a aposta ousada deles: para que coletar somente as almas deste mundo... se eles podem capturar o criador dessas almas?

Rezende e Marina se viram lentamente para mim, fazendo aquela cara de susto.

— Ééééé, Pedro. Você já criou tantas coisas por aqui... tantos mundos, tantas aventuras, tantos indivíduos diferentes... — reflete Gulov. — Neste mundo, sua alma vale *muito* mais que qualquer outra. Você carrega muitas almas consigo e a capacidade de criar tantas mais. Poderia se tornar uma fonte de energia praticamente infinita... E, nas mãos erradas, isso é um perigo sem limites.

— Esses malditos não podem conquistar este mundo assim! — exclama Rezende. — Este é o meu lar!

— Isso mesmo! — reforça Marina. — É o único lar que você e eu conhecemos, e devemos defendê-lo até o último instante.

— Peeeedroooo... ao sentir sua presença neste mundo, tentei levar você até o Rezende... Eu te desviei do destino que traçaram para você, te jogando naquela iiiiilha... Mas meus poderes estão limitaaaados... E eu não podia correr o risco de ser encontrado... Tive que contar com a sua ousadia. Tenho certeza de que o Herói Duplo, com a ajuda da Marina, consegue derrotá-los — explica Gulov. — O homem de olhos brilhantes é apenas um emissário de uma força maior, mas não se enganem...

— O HOMEM DE OLHOS BRILHANTES? — perguntamos nós três, ao mesmo tempo. E olha que a gente nem ensaiou!

— Não se eng... — diz Gulov, sua voz e imagem começando a enfraquecer. — ... lhantes... rival formidável... determinação! — E seu holograma desaparece em pleno ar.

— Gente, isso não é hora do Gandalfinho Fantasma desaparecer! Ele deu aquela contribuição na hora em que a gente mais precisou, mas ainda falta muita coisa! Onde ele foi parar?

— Não sabemos nem se ele está *vivo*, né? — diz Marina. — Essa aparição dele às vezes parecia uma mensagem gravada!

— Olha, o Gulov é muito safo — responde Rezende. — *Aposto* que ele está em um lugar isolado para que não seja capturado por esses vilões... E para que possa nos ajudar a salvar nosso mundo!

Eu faço um sinal positivo com a cabeça. Esse velhote é cheio das cartas na manga. Tenho certeza de que ele deu no pé assim que essa situação toda começou a acontecer... Provavelmente para encontrar um plano melhor. Pelo menos é nisso que eu quero acreditar.

— Espero que vocês estejam certos, rapazes... — diz Marina. — Eu realmente espero que ele esteja vivo e que a gente também consiga resgatá-lo. Há tanta coisa em risco...

De repente, olhamos na direção da casa do Barão e vemos que ela está cercada com uma névoa sombria. Há algo estranho ali, e vamos descobrir o que é agora mesmo.

Quando chegamos perto, dois clarões se abrem, e uma voz sinistraça diz:

— Vocês realmente acham que vão sair daqui com vida? HAHAHAHA!

Quando dou por mim, sou jogado para trás e Rezende para o outro lado. Marina também é lançada longe, bate na barra da varanda da casa da avozinha dos gatos e cai no chão.

A risada macabra continua, mas começa a mudar. É como se mais e mais vozes passassem a rir juntas, formando um coro, falando a mesma coisa ao mesmo tempo. Parece uma multidão, um estádio de futebol, um show de rock — só que sem a empolgação desses eventos, e sim o total terror do desconhecido. Vejo Rezende e Marina tentando se recompor da queda... e aqueles olhos terríveis na escuridão.

— Vocês realmente querem me enfrentar? — diz ele, em tom desafiador. — Acham que por serem o Herói Duplo estão em vantagem e podem me vencer? Já coletei muitas almas... Enquanto vocês estavam brincando de formar um timinho, eu estava me fortalecendo. Agora só preciso de mais uma alma. Na verdade, tenho que me corrigir: preciso de *só uma alma*. Uma alma que carrega milhares.

Quando nos levantamos no chão, olhamos em volta e percebemos que estamos cercados por um tornado quase tão escuro quanto a noite.

— Eu não queria sujar minhas mãos — continua o Olhos Brilhantes. — Achei que meus enviados dariam conta de você, Pedro. Tentei te trazer para este vilarejo, mas você ficou fora do meu alcance ao chegar neste universo... Poupei seus amigos para ter uma moeda de troca, caso tivéssemos que negociar. Isso não importa mais. Humanos, tão previsíveis! Eu sabia que, de uma forma ou de outra, você viria para cá. Justamente para onde eu queria. Seu coração é sua fraqueza, e ele vai ser meu em instantes!

— Você vai precisar fazer *muito* melhor do que isso para capturar nossas almas, Olhudo!

— "Olhudo", Rezende? — pergunto a ele.

— Sério mesmo, Rezende? — emenda Marina. — Não tinha nada melhor, não?

— Sei lá o nome desse infeliz, ele nunca se apresentou — resmunga Rezende. — Só sei que ele vai ser apresentado primeiro à lâmina da minha espada!

Quando Rezende puxa a arma da bainha, uma rajada de vento parecendo um tentáculo sopra na sua direção, arrancando a espada e a jogando para bem longe.

— Não está me reconhecendo, Pedro? — pergunta o maluco, ainda sem forma visível. — Deveria agradecer o upgrade de quarto que eu te dei.

Minha cara está *no chão*! Esse cara era aquele funcionário do hotel com fotofobia? E pensar que eu fiquei sem graça de ter zoado os óculos escuros dele!

— Daqui a pouco, nada disso vai importar pra você... — continua ele, com aquela voz vibrante. — Pois estará aprisionado para sempre, sem qualquer chance de salvação.

À nossa volta, blocos de terra e grama começam a se levantar devagarinho. Parece até aqueles animes de luta com os guerreiros concentrando seu poder antes de sair pra batalha. É como se o mundo estivesse se desfazendo...

A gente não pode deixar isso acontecer. Puppy e Isangrim rosnam para o inimigo, prestes a atacá-lo, mostrando uma coragem sem limites.

— Rapazes, pra cima dele! — grita Marina. — Não se esqueçam da profecia! O Herói Duplo vive em vocês!

Rezende se vira para mim, reclamando:

— Com uma espada a menos vai dar trabalho... esse miserável desse Olhão acabou de atrapalhar a gente... e muito!

— Ainda temos a minha espada. Confie na profecia, Rezende! E acho que você não é muito bom pra dar nomes às coisas. "Olhão"?

Ele coloca a mão junto da minha na empunhadura da espada.

— Pedro, daqui a pouco a gente vai chamá-lo de "Derrotadão" — diz Rezende, puxando um pouco da espada para fora da bainha. — Herói Duplo para sempre?

— Herói Duplo para sempre! — respondo com um sorriso. *Esse* é o Rezende que eu conheço!

Levantamos as mãos, unidas, segurando a espada que carrega nossas esperanças e sonhos... Começamos a fazer um movimento e recitar outra passagem da profecia, que só agora faz sentido pra gente...

Quando olhos de luz
iluminarem o vento sombrio
somente o Herói Duplo
poderá abrir o caminho.
Estrategista e guerreiro,
faces da mesma moeda,
devem agir como um só
quando o mal os espera.
Pelo retorno dos perdidos,
em sincronia, em união,
ele ergue de novo sua espada
desafiando a escuridão.

Ao final do último verso, o tornado sombrio se desfaz... e finalmente começamos a ver como é o nosso rival. Em uma primeira olhada, o cara de olhos brilhantes parece uma pessoa normal... Até que você percebe que tem alguma coisa muito sinistra ali.

"Assustador" é uma palavra que o define bem: tirando os olhos radiantes como dois sóis e a voz retumbante, tudo em seu visual muda de segundo em segundo. A cor da pele, dos cabelos, as roupas, tudo nele muda o tempo todo. É como se alguém estivesse trocando o canal da televisão sem parar.

— Belas palavras não me farão ir embora, heroizinhos — diz Olhos Brilhantes. — E eu não vou embora daqui sem meu principal troféu: o mestre das almas. Em guarda, tolos!

Ele começa a levitar baixo, voando ao nosso redor. Precisamos manter o foco! Tentamos acertar uma espadada usando quatro mãos, mas Olhos Brilhantes se esquiva da primeira, da segunda... Parece que isso vai dar trabalho. Aí que percebo que Marina está de arco em punho, puxando a flecha.

— Pensem no futuro, rapazes! Pensem no futuro! — grita ela, e dispara uma flecha. Olhos Brilhantes se esquiva para a direita, perto de onde Puppy e Isangrim estão em posição de ataque.

Pensem no futuro? Pensem no futuro... Como assim, Marina? É para salvarmos o mundo? Ou será que...

AH! Acho que entendi o que ela quis dizer! Viro para o Rezende e cochicho:

— Cara, muda tudo. O negócio não é acertar onde ele *está*...

— Não precisa dizer mais nada, já saquei — responde ele, em um tom igualmente animado e determinado. — O negócio é golpear onde ele *vai* estar. Boa sacada. EI! MARINA! Flecha nele!

Ela dá um sorriso modesto e grita:

— É pra já! ISANGRIM! PUPPY! PEGA! PEGA!

Marina começa a disparar flechas, enquanto Puppy e Isangrim se aproximam do inimigo. Mas ele consegue se desviar dos bichos, se afastando rápido. Quando ela mira para tentar acertá-lo com uma flechada, ele se esquiva... de novo... Só que o olhudo do Olhos Brilhantes não contava com a nossa astúcia!

Enquanto Marina, Puppy e Isangrim o distraem, eu e Rezende corremos na direção para onde ele estava escapando e damos um golpe de espada que o acerta em cheio, bem no instante em que ele tentava desviar!

— NGAHHHH!

Olhos Brilhantes, seu futuro acaba aqui.

É como se estivéssemos enfrentando o dragão de novo — com a diferença de que este inimigo aqui, embora seja um poderoso usuário de magia, parece pouco resistente. Acertamos outro golpe, e ele fraqueja. Acho que é por isso que ele sempre tenta nos dispersar com vento, jogando nossas armas bem longe. Olhos Brilhantes é forte, mas é fraco.

No terceiro golpe que acertamos, alguns fachos de luz saem de seu corpo e começam a circular pelo ar. Ouvimos um burburinho de vozes... dos mais variados tipos. Homens, mulheres, crianças, em um cochicho constante. Como, se o vilarejo está vazio? A fumaça continua a sair dos lugares onde fincamos a espada. Olhos Brilhantes está no chão, apoiado em um dos joelhos, ofegando. O brilho de seus olhos pisca, como uma lâmpada que está quase para queimar.

— Isso não acabou, Herói Duplo — diz ele, com a voz menos consistente que antes. — E nem vai....

Cada vez menos brilhante, a luz dos olhos dele começa a sair do corpo, faz uma esfera ao redor dele... e a esfera desaparece. Será que ele está...?

Na nossa mente, ouvimos a voz do Olhos Brilhantes dizendo: "Nada realmente termina".

Acho que o miserável fugiu... De repente, ouvimos um barulho: uma porta se abrindo. É a taverna. A taverneira sai, com uma cara de quem não sabe muito bem o que está acontecendo.

— Rezende! Pedro! — diz Marina, vindo em nossa direção e nos dando um abraço! — Ou eu deveria dizer... Herói Duplo? Vocês não me enganaram nem por um segundo! Viram só? Conseguiram dar uma lição naquele patife!

— Não sem você, Marina — responde Rezende.
— Obrigado por nos ajudar a ver e fazer um futuro melhor!

— Você tinha razão, Marina. A união realmente faz a diferença. E, quando nós três nos unimos de verdade, tudo funcionou! — comento.

— E, ainda por cima, algumas almas foram libertadas das garras dele! — comemora ela. — Olhem em volta! Aquela fumaça saindo dos ferimentos do Olhos Brilhantes... tenho certeza de que eram as almas roubadas retornando à vida! Os moradores do vilarejo retomaram sua liberdade!

Mais portas se abrem. Reparo que há uma linha de faíscas entre o lugar onde Olhos Brilhantes estava e as casas dos habitantes que voltaram. É, algumas pessoas retornaram mesmo. E vamos precisar ajudá-las!

Marina olha ao redor e repara em três fachos de luz indo em direção à base de operações da A.D.R. Ela abre um sorriso amplo e diz, quase chorando de alegria:

— Lara! Isabella! Valentina!

Então sai correndo em direção à casa... mas, no meio do caminho, ela para. Marina dá meia-volta, olha para mim e para Rezende, e vem na nossa direção.

— Rezende... Pedro... Palavras nunca serão capazes de demonstrar a gratidão que sinto por vocês dois. Ainda temos muito a fazer por aqui. Restabelecer a ordem no vilarejo, ajudar aqueles que voltaram, rever companheiros... e encontrar Gulov.

— Amigão, acho que você precisa de um descanso merecido. Vamos dar uma olhada nos tomos mágicos do velhote para ver se descobrimos uma forma de enviar você de volta ao seu mundo — diz Rezende.

— Sua família deve estar preocupada demais, cara.

Olho para os dois, para Puppy e Isangrim, e para o vilarejo.

— Nada disso, amigos. Rezende, lembra que eu tentei te contar sobre uma coisa que rolou quando voltei para casa, depois da última aventura? Pois é. Meu irmão estava vendo um vídeo em uma língua que só eu entendia. E uma voz sinistra dizia que ele era "apenas um de muitos" e também falou "nos veremos de novo". Agora estou achando que o dragão e o Olhos Brilhantes foram só os primeiros de muita coisa que ainda vem pela frente!

Rezende e Marina se aproximam, em silêncio. Reflito por um segundo e, sem hesitar, digo em voz alta minha decisão:

— Minha jornada aqui ainda não acabou. Estamos juntos nessa. Afinal de contas, vocês ouviram o que o Olhos Brilhantes disse: "Nada realmente termina". Partiu?

EPÍLOGO

Em um lugar desconhecido, Olhos Brilhantes se materializa em um enorme salão com luz amena. Ofegante, ele se levanta e respira fundo.

— Eu sei que vocês estão aí. Não precisam se esconder — diz ele para o salão aparentemente vazio.

De um canto, um facho de luz se acende, acompanhado de um som de água em movimento, como se uma grande criatura estivesse nadando. De lá, ecoa uma voz irritada.

— Você realmente achou que derrotaria o Herói Duplo, não é? — diz a voz borbulhante.

Na parede oposta, flutua a silhueta de uma figura estranha, bem na frente de uma luz vermelha como fogo.

— Um tolo! É isso o que você é! — exclama a figura, a voz soando em meio ao som de madeira queimando, como o barulho de uma fogueira. — Muitos aliados nossos já morreram por erros menores!

Olhos Brilhantes fica cada vez mais impaciente com as broncas.

— Foi apenas um contratempo bobo. Vocês são muito dramáticos!

De outro ponto escuro do salão, vem um som estranho, parecido com o de gravetos crepitando.

— Dramáticos? A gente te avisou que o Herói Duplo seria um inimigo formidável!

— Você se lembra do que aconteceu com nosso aliado da montanha — diz a voz borbulhante.

— O Herói Duplo abateu um dragão, seu tolo — continua a voz do fogo. — UM DRAGÃO!

— E muitos dos meus lacaios no vilarejo — completa a voz dos gravetos. — A gente tentou te avisar... E você nos ignorou. Por isso, está pagando o preço.

Os ânimos se exaltam, os aliados fazendo acusações a torto e a direito. As vozes aumentam de volume, cada um tentando gritar mais alto que o outro.

De repente, uma voz mais grave e mais alta que todas as outras interrompe o vozerio.

— SILÊNCIO, TODOS VOCÊS!

É como se alguém apertasse o botão "MUTE" no controle remoto. A voz retumbante continua:

— Ficar discutindo é perda de tempo. Cada segundo é importante em nossa missão de conquistar este mundo para atingir o objetivo final: destruir os humanos. Sim, nosso comparsa Olhos Brilhantes perdeu sua batalha, mas a guerra, amigos, continua. Além disso, nosso Oráculo não costuma falhar... não é mesmo? — Ele acena para a outra ponta do salão.

Lá, há um recinto hermeticamente fechado com uma janela de vidro e uma luz piscante. Largada em um canto está um par de botas surradas que já caminharam muito por este mundo. E, mais ao fundo, uma jovem moça de olhos vendados... e uma roupa cáqui surrada que Marina reconheceria muito bem.

1ª EDIÇÃO [2016] 2 reimpressões

ESTA OBRA FOI COMPOSTA PELA ABREU'S SYSTEM EM ADOBE GARAMOND E
IMPRESSA EM OFSETE PELA LIS GRÁFICA SOBRE PAPEL PÓLEN BOLD DA SUZANO
PAPEL E CELULOSE PARA A EDITORA SCHWARCZ EM OUTUBRO DE 2016

A marca FSC® é a garantia de que a madeira utilizada na fabricação do papel deste livro provém de florestas que foram gerenciadas de maneira ambientalmente correta, socialmente justa e economicamente viável, além de outras fontes de origem controlada.